Politisch mündig werden

demokratie
leben

Landeszentrale
für politische Bildung
Nordrhein-Westfalen

Schriften zur Didaktik der Sozialwissenschaften
in Theorie und Unterrichtspraxis

herausgegeben von
Sabine Manzel
Thomas Goll

Band 2

Sabine Manzel (Hrsg.)

Politisch mündig werden

Politikkompetenz in der Schule
aufbauen und diagnostizieren

Verlag Barbara Budrich
Opladen • Berlin • Toronto 2014

Bibliografische Information der Deutschen Nationalbibliothek
Die Deutsche Nationalbibliothek verzeichnet diese Publikation in der Deutschen
Nationalbibliografie; detaillierte bibliografische Daten sind im Internet über
http://dnb.d-nb.de abrufbar.

Gedruckt auf säurefreiem und alterungsbeständigem Papier.

    ISBN   **978-3-8474-0601-3 (Paperback)**
    eISBN 978-3-8474-0281-7 (eBook)

Umschlaggestaltung: Walburga Fichtner, Köln
Satz: Susanne Albrecht, Leverkusen
Druck: paper & tinta, Warschau
Printed in Europe

Inhalt

Einleitung: Politisch mündig werden. Politikkompetenz in der Schule aufbauen und diagnostizieren

Sabine Manzel

Ziel des Politikunterrichts ist es, jungen Menschen grundlegendes Fachwissen sowie Politikkompetenzen an die Hand zu geben, damit sie ihre Rolle als Bürger/-innen einer Demokratie in der von ihnen gewünschten Form – sei es nun als Aktivbürger/-innen oder reflektierte Zeitungsleser/-innen – erfüllen können. Seit 2012 liegt in der Politikdidaktik ein Kompetenzmodellvorschlag vor, der theoretisch begründet, welche Kompetenzdimensionen im Politik-/ SoWi-Unterricht ausgebildet werden sollen (Detjen et al., 2012). Wenngleich das Modell empirisch noch zu validieren ist, bietet es für Lehrkräfte in der Praxis konkrete Hilfestellungen und praktische Unterstützung im Kompetenzdschungel, wie eine Lehrer/-innenfortbildungsreihe[1] in NRW zeigt.

Im folgenden Band wird im ersten Teil das Politikkompetenz-Modell mit einzelnen Bausteinen theoretisch vorgestellt und die Frage nach einer diagnostischen Kompetenzmodellierung als notwendige Voraussetzung für gelingende Interaktionsprozesse im Politikunterricht aufgeworfen. Im zweiten Teil finden sich praktische Umsetzungsmöglichkeiten mit Materialien für den Fachunterricht.

Georg Weißeno führt in das neue *Politikkompetenzmodell* ein und erklärt die Unterschiede zu herkömmlichen Konzeptionen und bildungspolitischen Kompetenzvorschlägen. Deutlich wird, was ein in der Politikwissenschaft und der Kognitionspsychologie theoretisch verortetes Kompetenzmodell im Fach leisten kann und will, und was nicht.

Die Kompetenzdimension *Politische Urteilsfähigkeit* beleuchtet Sabine Manzel aus allgemeindidaktischer und fachspezifischer Perspektive. Sie stellt einen Modellvorschlag zur Förderung der politischen Urteilsbildung im Politikunterricht zur Diskussion, der in einer Lehrer/-innenfortbildung mit Praktiker/-innen auf Basis lehr-lern-theoretischer Begründungen entwickelt wurde.

Dorothee Gronostay widmet sich der Kompetenzfacette des Argumentierens, welche sich in der Kompetenzdimension *Politische Handlungsfähigkeit*

---

1   „Update Politische Bildung 2013/14", Weiterbildung des Lehrstuhls für Didaktik der Sozialwissenschaften in Kooperation mit der Ruhr-Campus-Academy und dem Zentrum für Lehrerbildung der Universität Duisburg-Essen

verorten lässt. Sie zeigt ein Desiderat in der Politikdidaktik auf und führt in die Grundlagen der Argumentationstheorie ein. Deutlich wird die Relevanz der Förderung von argumentativen Lehr-Lernprozessen im Politikunterricht. Dennis Neumann macht einen Vorschlag zur *Modellierung von diagnostischer Kompetenz* im Politikunterricht. Er stützt sich dabei auf herkömmliche Modellierungen der professionellen Lehrer/-innenkompetenzen wie in COACTIV oder der PKP-Studie[2], geht jedoch einen Schritt weiter und überlegt, wie *aktionsbezogene Kompetenzen* im Alltagshandeln erfasst und gefördert werden können.

Die Praxisbeiträge im zweiten Teil starten mit Monika Oberles und Christian Tatjes Vorschlägen für eine *kompetenzorientierte EU-Didaktik.* Gerade die Komplexität des Europäischen Mehrebenensystems und die Auswirkungen auf nationale Politiken verlangen sowohl die nachhaltige Vermittlung von EU-Kenntnissen, aber auch das Wecken von Interesse durch das Herstellen von Alltagsbezügen. Vielfältige Methodenoptionen werden vorgestellt, z.B. Szenarien zur Euro-Krise.

Dorothee Gronostay knüpft an die theoretischen Vorüberlegungen zur Argumentationsfähigkeit im ersten Teil an und stellt eine *Trainingseinheit zur Argumentation* vor. Mit den Materialien lernen Schüler/-innen starke und schwache Argumente zu unterscheiden und erwerben Strategien zur Stützung ihrer Position.

Eine konkrete *Unterrichtsreihe zum Erneuerbare-Energien-Gesetz* entwickeln Matthias Sowinski und Julia Brüggemann. Ein detaillierter Verlaufsplan und Materialien als Kopiervorlage ermöglichen es mit wenig Vorbereitungsaufwand, unter Berücksichtigung der *Kompetenzdimension Fachwissen* Schüler/-innen kognitiv zu aktivieren und das Spannungsverhältnis zwischen Ökologie und Ökonomie zu diskutieren.

Den Abschluss bildet ein *Planspiel zum Gesetzgebungsprozess* von Julia Staub und Kristina Weissenbach. Am Beispiel „Absenkung des Wahlrechts" wird die handlungsorientierte Methode vorgestellt und der Vorteil einer *Beteiligung von Expert/-innen* aus der politischen Praxis beim spielerischen Lernen in politischen Rollen beleuchtet.

Die Herausgeberin dankt den Autorinnen und Autoren für die Zusammenarbeit. Ebenso möchte ich mich bei den Lehrkräften der Fortbildungsreihe für ihre kreativen Gedanken und Fragen zur Praktikabilität bedanken.

Essen, Mai 2014

Sabine Manzel

---

2   COACTIV = Professionswissen von Lehrkräften, kognitiv aktivierender Mathematikunterricht und die Entwicklung mathematischer Kompetenz (Kunter et al. 2011), PKP = Professionelle Kompetenz von Politiklehrer/-innen (Weißeno, Weschenfelder & Oberle 2013)

I Fachdidaktische Theorie

Was ist anders im neuen Politik-Kompetenzmodell?

Georg Weißeno

1. Anlass der Untersuchung

Die Umstellung der Ländercurricula auf Kompetenzen ist inzwischen weitgehend abgeschlossen. Seit den ersten nationalen Bildungsstandards 2003 wurden die Bildungssysteme der Länder nach und nach umgestellt. Die Kultusministerkonferenz hatte Standards für Deutsch, Mathematik, die Naturwissenschaften und Fremdsprachen beschlossen. Für den Politikunterricht fehlen sie bisher. Gleichwohl haben die Länder ihre Kerncurricula auch in diesem Fach auf Kompetenzen umgestellt. Hinzu kommt, dass die Domänen in jedem Land anders zusammengestellt sind. Oft sind es Politik und Wirtschaft, sehr viel seltener Politik und Soziologie. Ähnlich uneinheitlich ist die Bezeichnung des Schulfaches: Politik, Sozialkunde, Gemeinschaftskunde, Wirtschaftslehre, Sozialwissenschaften, Politik und Wirtschaft etc. Für die Formulierung von Kompetenzen ist indessen die Struktur einer Domäne eine Grundvoraussetzung. Eine Domäne als Forschungsgegenstand muss in jedem Falle theoretisch und thematisch eingrenzbar sein.

Deutlich ist schon jetzt, dass mit der Umstellung auf die Kompetenzorientierung einschneidende Veränderungen geplant waren. Größere Veränderungen im Bildungssystem finden in etwa alle 15 Jahre statt. 1975 war es die Curriculumentwicklung und die Umstellung auf Lernziele. Statt der bis dahin vorherrschenden Stofforientierung kommt die gewünschte Verhaltensänderung in den Blick. Für alle Fächer werden lernzielorientierte Richtlinien erarbeitet. Wissenschaftler/-innen sagen, was zu tun ist. Sie formulieren Lernziele als Endzustand einer beabsichtigten Verhaltensänderung, der sich als Ergebnis eines Lernprozesses beim Lernenden nach dem Unterricht zeigen soll (Meyer, 1974, S. 14). Verhalten wird als feststellbare und messbare Reaktion auf bestimmte Reize definiert (Ebenda, S. 16). Das, was die Lehrer/-innen beobachten, ist als Verhalten interpretierbar. Lernziele als Beschreibung des erwünschten Verhaltens können nicht ohne Angabe eines Lerninhalts formuliert werden (Ebenda, S. 23). Letztlich war die Curriculumentwicklung der Versuch, durch beobachtbares Verhalten die Intersubjektivität wie in der Wissenschaft zu erhöhen. Dieses Programm der Verwissenschaftlichung des Unterrichts ist gescheitert.

Die Kehrtwende erfolgt in den 1990er Jahren. Jetzt überlegen die Lehrkräfte selbst, was zu tun ist, und bilden sich intern selbst fort. Die innere

Schulentwicklung soll die Veränderung bringen. Angenommen wird, dass die Schulentwicklung die Qualität von Unterricht und Schule verbessert. Eine Reihe von Instrumenten für die Steuerung wie z. B. Schulcurricula, Schulprofile soll den Unterschieden in der Schülerklientel und den Leistungsunterschieden der Schulen entgegenwirken. Die Schulen erhalten mehr Gestaltungsspielraum, mehr Selbstverantwortung und Autonomie, mehr Wettbewerb und weniger Staat (Zeller, 2007, S. 63). Die Schulen haben inzwischen ein Schulprofil erarbeitet, über dessen Wirkung wenig Belastbares bekannt ist. Die bildungspolitische Transformation dieses Programms erfolgt zudem weniger entschieden. Eine Debatte über Probleme der Aufgaben in Bezug auf die wachsenden Unterschiede wird ebenso vermieden wie in Bezug auf die Leistungsfähigkeit der Schulen (Ebenda, S. 64).

Mit den TIMSS und PISA-Studien beginnt ab etwa 2000 die bildungspolitische Diskussion über die Leistungsmessung. Deshalb erfolgt ab 2003 eine Standardsetzung und die Rechenschaftslegung wird verpflichtend. Schulen müssen Rechenschaft über ihre Qualität und ihre Leistungen ablegen. Die Produktqualität von Unterricht soll nach den Vorstellungen der KMK über dem internationalen Durchschnitt liegen. In der letzten internationalen *Civic-Education*-Studie (2002), die die Leistung der Schüler/-innen in Politik erhoben hat, schnitten die deutschen Schüler/-innen nur mittelmäßig ab. Die Systemleistungen werden derzeit in den Hauptfächern und den Naturwissenschaften durch ständige Fremd- und Selbstkontrollen erhoben. Der Politikunterricht ist bisher nicht für die Standardüberprüfung durch die KMK vorgesehen. Die KMK gab 2004 die Auskunft, dass die Politikdidaktik die für die Einführung von Bildungsstandards erforderlichen Forschungsleistungen noch zu zeigen hat. Insofern wird derzeit auf nationaler Ebene kein Output an die Praxis zurückgemeldet, außer von einigen wenigen systematisch forschenden Politikdidaktiker/-innen. Die forschungsbezogene Verankerung der Politikdidaktik ist immer noch schwach.

In diesem Prozess stellt sich aktuell das Rückverflüssigungsproblem (Oelkers & Reusser, 2008, S. 505), die Rückübersetzung von Output in Input. „Bildungsstandards, die für sich genommen lediglich eine neue Form der Inhalts- und Zielformulierung darstellen, sowie Tests und daran geknüpfte Ergebnisrückmeldungen können erst dann einen Beitrag zur Qualitätsentwicklung leisten, wenn ihre zielklare politische und administrative Kommunikation mit pädagogischen Initiativen zur Schulentwicklung und zum professionellen Lernen von Lehrkräften verbunden wird" (Ebenda). Das Rückverflüssigungsproblem stellt sich auch für die Politiklehrkräfte. Sie erhalten zwar keine Rückmeldung aus dem Assessment, dafür aber widersprüchliche Informationen aus der Fachdidaktik. Sander z.B. sieht bereits eine bildungstheoretische Wende und zieht eine äußerst kritische Bilanz der Kompetenzorientierung (Sander, 2013, S. 7). Detjen et al. (2012) entwerfen ein theoretisch fundiertes Modell der Politikkompetenz, das den Lehrkräften eine Orientierung anbietet. In mehreren Beiträgen wird gezeigt, wie sich mit diesem Modell Unterricht planen lässt (Breit & Weißeno, 2013; Weißeno & Landwehr, http://www.politikwiss.ph-karlsruhe.de/jmp/; Breit & Weißeno, 2015).

Es geht im vorliegenden Beitrag darum, die Lehr-Lernprozesse mit dem Modell der Politikkompetenz zu beschreiben. Versucht wird dabei, die mit der Kompetenzorientierung eingetretenen Veränderungen verständlich zu machen und den Nutzen für den Politikunterricht zu zeigen. Hierfür wird zunächst der meist schillernde Kompetenzbegriff systematisch gefasst. Die Zusammenhänge von Inhalten und Kompetenzen sind durchaus nicht trivial, sondern komplexer Natur. Mit der neuen Fachsprache sind lernpsychologische Begrifflichkeiten verbunden, die für die meisten Lehrkräfte neu sind. Im dritten Abschnitt werden die einzelnen Dimensionen des Modells der Politikkompetenz erläutert. Sie beschreiben die im Politikunterricht auftretenden Prozesse. Sie zeigen den Lehrkräften den Kern eines fachbezogen zu planenden und durchzuführenden Unterrichts. Im vierten und letzten Abschnitt wird zu zeigen versucht, wie man mit dem Modell unterrichten kann. Dies zielt darauf ab, die Merkmale von Unterrichtsqualität zu beachten.

2. Kompetenzbegriffe

Der Begriff Kompetenz wird in den zahlreichen Praxis- und Ratgeberbüchern und diversen Kerncurricula unterschiedlich benutzt. Darin finden sich viele individuelle Deutungen. Das Ergebnis sind schillernde Beschreibungen. Kompetenz ist zudem ein Begriff, der in der Alltagssprache in verschiedenen Kontexten benutzt wird. Bei den neuen Kompetenzlehrplänen kann sich ein altes Lernziel in eine Kompetenzformulierung umgewandelt wiederfinden, wenn „sollen lernen" durch „können" ersetzt wird. Es wird dann nicht gefragt, ob und wie das als „Können" Beschriebene tatsächlich erreichbar und in einer Klassenarbeit festzustellen ist. Letzteres ist aber der Kern der von der KMK beschlossenen Kompetenzorientierung. In der Praxis wird diese Definition oftmals von einem pädagogischen Kompetenzverständnis überlagert. Die Begrifflichkeiten sind in den neuen Kompetenzlehrplänen nicht konsequent umgesetzt. Durch die pädagogische und die kognitionspsychologische Verwendung des Kompetenzbegriffs und die zahlreichen weiteren alltagssprachlichen Definitionsversuche in der Ratgeberliteratur entsteht in der Praxis schnell eine Begriffsverwirrung.

Die pädagogische Kompetenzdiskussion geht auf Roth zurück, der von der Trias von Selbst-, Sach- und Sozialkompetenz (Roth, 1971, S. 180) gesprochen hat. Dieser sehr weite Kompetenzbegriff meint eine umfassende Handlungsfähigkeit in allen Bereichen und kommt damit den allgemeinen Bildungszielen sehr nahe. Ziel der Vermittlung von Kompetenzen ist hier die

Befähigung zum selbständigen Handeln und zur Mündigkeit. Die Kompetenzbereiche sind allerdings domänenunspezifisch. Diese Begrifflichkeit hat heute zusammen mit einer methodischen Kompetenz Eingang in Ländercurricula und die Einheitlichen Prüfungsanforderungen im Abitur gefunden. Pädagogisch definierte Kompetenzbereiche können und werden in der Fachdidaktik beliebig erweitert, z. B. um die Konsumentenkompetenz, Konfliktfähigkeit, Gesundheitskompetenz usw. Dies liegt an der Inklusionsbereitschaft pädagogischer Begrifflichkeiten, die alle Vorgänge umfassend zu erklären versuchen und dabei unscharf werden. Die benutzten Lehrziele sind durch die Angabe der Thematik und das gewünschte Verhalten formuliert worden. Die Richtlinien Politik/Geschichte Hauptschule in NRW von 1989 formulierten entsprechend: „Fähigkeit und Bereitschaft, sich in den gesellschaftlichen, politischen und wirtschaftlichen Ordnungen zu orientieren, sie einschließlich ihrer Zwänge und Herrschaftsverhältnisse nicht ungeprüft hinzunehmen". Vereinfachend kann man sagen: Pädagogik beschreibt das Erwünschte, während die Kognitionspsychologie tatsächlich erreichbare Standards beschreibt.

Die engeren kognitionspsychologischen Konstrukte des Informationsverarbeitungsparadigmas lenken den Blick auf die Leistungsdispositionen, die sich heute zudem auf die Handlungsanforderungen in einzelnen Domänen, so auch der Politik, beziehen. Aktuell wird der Kompetenzbegriff auf kognitive Leistungen begrenzt. Die Lehrziele werden in diesem Verständnis als Persönlichkeitsmerkmale definiert. Kompetenz zeigt sich für Klieme und Hartig (2007) „im je situativen Bewältigen von Anforderungen (in der ‚Performanz' des Handelns)" (S. 13). Kompetenz wird auf die Fähigkeit zum Umgang mit (hier: politischen) Symbolsystemen in Alltagskontexten fokussiert (Ebenda). (Politik-)Kompetenz ist zwar keine direkt beobachtbare Personeneigenschaft, aber indirekt in der Lösung der Lernaufgaben feststellbar. „Eine Kompetenz bedeutet, dass man einen bestimmten Sachverhalt beherrscht. Kompetenzen kann man daher definieren durch die Aufgabenmengen, zu deren Lösung sie befähigen" (Klauer & Leutner, 2012). Klieme und Leutner definieren Kompetenzen ähnlich als „kontextspezifische kognitive Leistungsdispositionen, die sich funktional auf Situationen und Anforderungen in bestimmten Domänen beziehen" (Klieme & Leutner, 2006, S. 879).

Dass die Verwendung des Begriffs Kompetenz in Politikdidaktik und Erziehungswissenschaft oftmals schillernd ist, liegt an der uneinheitlichen Fachsprache und der inhaltlichen Fokussierung. Gleichsam analog zu den Entwicklungen in Pädagogik und Kognitionspsychologie gibt es in der theoretischen politikdidaktischen Diskussion unterschiedlich weite Verwendungen des Begriffs Kompetenz. Es hat sich erst langsam eine Fachsprache entwickelt, die Kompetenz systematisch beleuchten kann. Die wissenschaftliche Politikdidaktik und die Praktiker/-innen stehen vor der Wahl, das pädagogische Kompetenzkonstrukt weiter zu betreiben oder sich für den Paradigmenwechsel hin zu einem kognitionspsychologischen Kompetenzkonstrukt zu entscheiden. Beide Konzepte gehen wissenschaftsmethodologisch anders vor und sind in vielen Punkten bisher nicht kompatibel (Weißeno, 2012). Die folgenden Ausführungen beschränken auf das neue kognitionspsychologisch begründete Modell der Politikkompetenz.

3. Dimensionen der Politikkompetenz

Um eine Antwort auf den angesprochenen Wandel in der Bildungspolitik geben zu können, braucht die Politikdidaktik eine Auseinandersetzung über die Konstruktion eigenständiger Kompetenzmodelle. Insbesondere durch den psychologischen kontextspezifischen Kompetenzbegriff und dessen wissenschaftstheoretische Grundlegung steht die Politikdidaktik seit 2004 vor großen Herausforderungen. Der allgemeine kognitionspsychologische Begriff der Kompetenz muss für die Analyse fachbezogener unterrichtlicher Phänomene formuliert werden. Die Politikdidaktik bestimmt die Dimensionen der Politikkompetenz der Schüler/-innen und der professionellen Kompetenz der Lehrkräfte mit der jeweiligen Auswahl politikwissenschaftlicher Zugänge und Gegenstände sowie ihrer lehr-lern-theoretischen Grundlagen (Weißeno, 2014).

Die ontologischen Annahmen kann die Politikdidaktik der kognitionspsychologischen Theorie der Informationsverarbeitung entnehmen. „Dabei werden kognitive Prozesse in eine Reihe von Einzelschritten zerlegt, in denen eine abstrakte Größe, die Information, verarbeitet wird" (Anderson, 2001, S. 12). Visuelle und verbale Informationen werden im Gedächtnis repräsentiert und verarbeitet. Es entstehen mentale Vorstellungen. Gelernt wird dadurch, dass sich im Gedächtnis Informationen und Erfahrungen in Strukturen (kognitiven Landkarten) zunehmend verfangen, die bei allen menschlichen Gehirnen Ähnlichkeiten aufweisen (Solso, 2005, S. 11). Neue Informationen werden symbolisiert (Wissensrepräsentation) und mit den Dingen, die bereits im Gedächtnis gespeichert sind, in Zusammenhang gebracht.

Die Aufgabe der Politikdidaktik ist es, die für die Schule relevanten Ausschnitte aus der politischen Realität und die damit zusammenhängenden theoretischen Zugänge aus der Politikwissenschaft auszuwählen, die fachbezogenen Lehr-Lern-Prozesse und den outcome zu beschreiben. Die Politikkompetenz bestimmt die allgemeinen kognitiven Anforderungen, die an ein/-en Schüler/-in im Politikunterricht zu stellen sind. Hierfür wird eine strukturelle Repräsentation der kognitiven Leistungen von Schüler/-innen vorgenommen, indem von vier Teildimensionen der Politikkompetenz ausgegangen wird: Fachwissen, Politische Urteilsfähigkeit, Politische Handlungsfähigkeit, Einstellungen/Motivation (vgl. Abbildung 1). Die ersten drei Dimensionen sind die Leistungsdispositionen. Die Teildimensionen sind nicht voneinander ab-

hängig, sondern wirken additiv auf die Politikkompetenz. Das Politikkompetenzmodell stellt damit den kontextspezifischen Inhalt dar, der in (schulischen) Anforderungssituationen über die politische Realität anzuwenden ist.

Abbildung 1: Modell der Politikkompetenz (Detjen, Massing, Richter &
           Weißeno, 2012)

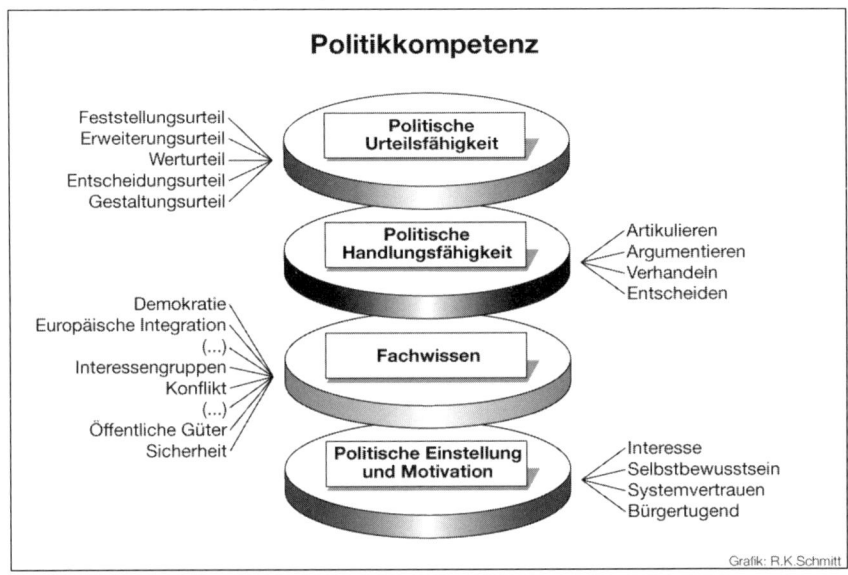

Die Kompetenzdimension „Politische Urteilsfähigkeit" wird mit fünf Facetten unterrichtspraktisch handhabbar gemacht. Das traditionelle Ziel des Unterrichts „Politische Handlungsfähigkeit" ist gleichfalls in das Modell über-
nommen. Es wird seinerseits inhaltlich definiert und mit vier Facetten für den
Unterricht umsetzbar gemacht. Neu eingebracht in die Kompetenzdiskussion
ist die Kompetenzdimension Einstellung und Motivation.
    Über die Notwendigkeit, politische Einstellungen zu berücksichtigen und
einzubeziehen, besteht seit langem in den normativen Zieldiskussionen Übereinstimmung. Die positive Einstellung zur Demokratie, das Interesse an Politik sind immer schon ein wichtiges Ziel des Politikunterrichts. Sie sind zudem einflussreiche Bedingungsfaktoren schulischer Leistung. Unter Einstellung wird eine vorbereitende kognitive Aktivität verstanden, die dem Denken
oder der Wahrnehmung vorausgeht. Eine Einstellung bzw. Überzeugung
kann die Qualität der Wahrnehmung verbessern oder hemmen. Unter Motivation versteht man das erstrebenswerte Ergebnis einer Interaktion von Person
und Situation. Zu den personenbezogenen Einflüssen gehören vor allem implizite Motive, die einzelne Individuen von anderen unterscheiden, und expli-

zite Motive, d.h. Zielsetzungen, die eine Person gefasst hat und verfolgt, sowie Bedürfnisse, zum Beispiel das Streben nach Wirksamkeit. Implizite Motive in der Politik sind unter anderem politisches Interesse, politisches Selbstbewusstsein, Systemvertrauen und politische Tugenden. Zu den situationsbezogenen Einflüssen gehören neben möglichen Anreizen vor allem Gelegenheiten. Bezogen auf den politischen Bereich können dies beispielsweise Anreize und Gelegenheiten zum politischen Urteilen und politischen Handeln sein.

In kognitionspsychologischer Hinsicht ist das (politische) Urteilen ein Prozess, in dem eine Person einem bestimmten Urteilsobjekt einen Wert auf einer Urteilsdimension zuordnet. Urteilsobjekte sind Gegenstände, Situationen, Personen, Aussagen, Ideen wie auch innere Zustände. Politische Urteile beziehen sich auf die Aufgaben und Probleme des politischen Systems wie auch der internationalen Beziehungen, des Weiteren auf die Aufgaben und Probleme des sozialen Nahraumes, über politische Programme und Überzeugungen. Oftmals werden Personen, d.h. politische Akteure, zum Gegenstand politischer Urteile.

Beim (politischen) Handeln werden Wahrnehmungen, Gedanken, Emotionen, Fertigkeiten, Aktivitäten in koordinierter Weise eingesetzt, um entweder Ziele zu erreichen oder sich von nicht lohnenden oder unerreichbaren Zielen zurückzuziehen. Bei der Entwicklung einer eigenständigen Handlungsfähigkeit werden konkrete einzelne Handlungskonzepte für spezifische Handlungen erworben, die anschließend zu allgemeinen Handlungsschemata für ähnliche Handlungen generalisiert werden. Politisches Handeln findet immer im Bezugssystem einer politischen Ordnung statt. Es lässt sich analytisch unterscheiden in kommunikatives politisches Handeln und in partizipatives politisches Handeln. Der Politikunterricht kann bestenfalls auf die dazu notwendigen Handlungsfähigkeiten vorbereiten. Kompetenzfacetten des kommunikativen und partizipativen politischen Handelns, die im Politikunterricht gefördert werden können, sind: Artikulieren, Argumentieren, Verhandeln und Entscheiden.

Abbildung 2: Modell des Fachwissens (Weißeno, Detjen, Juchler, Massing &
             Richter, 2010, S. 12)

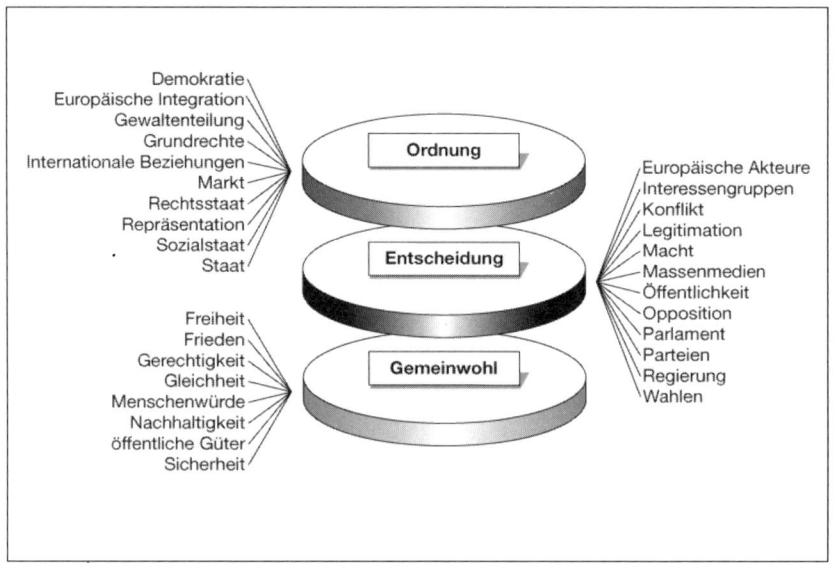

Die in das Politikkompetenzmodell integrierte Beschreibung des Fachwissens
ist bereits 2010 vorgelegt worden. Die 30 Fachkonzepte sind politikwissen-
schaftlich begründet. In Informationsverarbeitungsprozessen wird Neues gelernt und verarbeitet. Die Möglichkeit, sich Wissen über Fachkonzepte im
Unterricht anzueignen, ist nach der Theory of Mind gegeben, da Informationen und Erfahrungen von den Menschen in Strukturen behalten werden.
Fachkonzepte stellen einen Begriffsraum mit zusammenhängenden Begriffen
dar, die durch Assoziationen miteinander verbunden sind (vgl. Solso, 2005,
S. 251). Im Lernprozess kommt es dann idealerweise im Gedächtnis des/der
Schüler/-in zu einer sich ausbreitenden Aktivierung von und unter den Begriffen. Denn die Informationen aus dem Unterricht werden von den Schü-
ler/-innen weiter verarbeitet. Konzepte können Begriffe sein, die mit den
Vorstellungen verbunden werden. Fachkonzepte haben eine Struktur. Sie
lässt sich mit Hilfe von konstituierenden Begriffen beschreiben. Konstituierende Begriffe entfalten den komplexen Inhalt von Fachkonzepten. Für verschiedene Klassenstufen sind unterschiedlich viele und unterschiedlich abstrakte konstituierende Begriffe zu fördern. Deshalb sind Fachbegriffe in Form
von Fachkonzepten und ihren konstituierenden Begriffen das zentrale Element zur Beschreibung des Fachwissens. Jedoch ist die Existenz eines Kon-
zepts im Gedächtnis nicht allein an die sprachliche Bezeichnung gebunden.

Im Handeln sind viele Konzepte wirksam, denen ein sprachlicher Ausdruck fehlt. Kumulatives Lernen findet statt, indem die Fachkonzepte in verschiedenen Themen konkretisiert werden; sie werden in unterschiedlichen Kontexten situiert. Sie sollen den Lernenden helfen, das fachliche Wissen zu- und einzuordnen, also systematisch und strukturiert zu erlernen, damit ihr Wissen weiterhin anschlussfähig ist. Sie dienen dem Aufbau eines gut strukturierten und vernetzten Wissens, indem sie Fachinhalte vernetzen. Die Fachkonzepte bewähren sich dann für die Schüler/-innen, wenn sie für verschiedene politische Kontexte und Beispiele erklärende Funktionen übernehmen können. Auch wenn sich später die Tagespolitik ändert, das in der Schule erworbene fachliche Gerüst an Fachkonzepten sichert die erste Einschätzung der neuen Vorgänge. Zudem kann sich das Fachwissen durch ständige Anreicherung mit Fachvokabular sinnvoll erweitern. Neue Wissenselemente passen zu vorhandenen und werden so im Gedächtnis aufgenommen.

Adressatenbezogenes Fachwissen ist zentral für die Vernetzung mit den weiteren Dimensionen. Der/die Schüler/-in muss von den Ergebnissen der politikwissenschaftlichen Betrachtungen ausgehen und ihre innere Struktur und Begrenzungen in einem Urteil bewerten. Im politischen Handeln werden die theoretischen und methodologischen Betrachtungen sowie die abgeleiteten Urteile gegenüber anderen dargestellt und vertreten. Diese drei Leistungsdispositionen werden von der vierten Dimension Einstellung und Motivation beeinflusst.

4. Unterricht mit dem Modell der Politikkompetenz

Die Unterrichtsqualität eines kompetenzorientierten Unterrichts zeichnet sich durch drei Momente aus (Blum, 2006, S. 29). Wichtig ist erstens eine fachlich gehaltvolle Unterrichtsgestaltung, die den Schüler/-innen vielfältige Tätigkeiten zu allen Kompetenzdimensionen und -facetten bietet. Erst dann können Vernetzungen zwischen den Kompetenzdimensionen in den gedanklichen Konstruktionen der Schüler/-innen entstehen. Erforderlich ist also ein kognitiv-konstruktivistisches Verständnis vom Lernen. Die kognitive Aktivierung der Schüler gelingt zweitens dann, wenn der Unterricht Konstruktionen stimuliert, ermöglicht und selbstständiges Lernen ermutigt. Dazu gehören die Entwicklung lernstrategischen Verhaltens sowie metakognitive Aktivitäten, wie etwa Strategiewissen, epistemisches Wissen. Drittens gehört zur Qualität eine effektive und schülerorientierte Unterrichtsführung, bei der verschiedene Methoden flexibel variiert werden.

Kompetenzorientierter Politikunterricht ist das neue Zauberwort in vielen politikdidaktischen Publikationen. Sie klären indes selten, wie die Lernprodukte mit den Prozessmerkmalen des Unterrichts zusammen hängen. Hierzu sind Standards erforderlich. Man weiß aber erstens wenig über politikdidaktische Unterrichtsqualitätsstandards. Die in der Politikdidaktik diskutierten Unterrichtsleitbilder setzen keine forschungsbasierten Standards des Unterrichtens. Es gibt bisher sehr wenige systematische Studien zu den Qualitätsmerkmalen des Unterrichts, sodass das Bild hier sehr unvollständig ist (Manzel & Gronostay, 2013; Weißeno & Landwehr, 2014). Zweitens ist umstritten, ob und welche Fach-Leistungsstandards es geben soll. Das Modell der Politikkompetenz formuliert solche Leistungsstandards. Es ist das einzige, das die Lernergebnisse hinreichend konkret beschreibt.

Das Kompetenzmodell enthält keinerlei Gestaltungshinweise für den Unterricht. Seine Standards sind deshalb erst noch in gute Lernaufgaben zu übersetzen. Lernaufgaben motivieren, wenn sie sich auszeichnen durch politische Situationen (Aktualitätsbezug), Authentiziät, Rätselcharakter und wenn sie unterschiedliche Lernwege zulassen. Kognitiv aktivierender Unterricht als Tiefenstruktur des Unterrichts (Kunter & Trautwein, 2013) gilt allgemein als lernförderlich. Er lädt ein zu kooperativem Lernen und trainiert dadurch Problemlösestrategien. Die Aufgaben im Politikunterricht sollten deshalb Situationen im realen politischen Leben relativ ähnlich sein. Sie stellen für die Schüler/-innen kontextspezifische Anforderungen dar, weil sie ihr konzeptuelles Wissen anwenden müssen. Der Kontext hat Einfluss auf die Interessantheit, Bekanntheit und Glaubwürdigkeit. Die Aufgaben sind mit politikwissenschaftlichen Begrifflichkeiten, die in den Fachkonzepten und konstituierenden Begriffen des Modells aufgeführt sind, zu lösen. Die Lernaufgaben werden zunächst gelesen. Anschließend bilden die Schüler/-innen mentale Modelle für den zu wählenden Lösungsweg. Hierzu ist das Verstehen der Fragestellung eine wichtige Voraussetzung. Bei der Lösung werden die fachlich relevanten Aspekte selegiert.

Die Chance zu einem kognitiv aktivierenden Politikunterricht ist gegeben, wenn die Kompetenzorientierung im lernpsychologischen Sinne in der Schule ankommt. Zunächst brauchen wir von der KMK beschlossene Bildungsstandards für das Fach und illustrierende Lernaufgaben, die einen kognitiv aktivierenden Unterricht zeigen. Es kommt darauf an, aktive Prozesse des Lernens zu initiieren. Unterrichtsmethoden sind erst im Kontext des Klassenmanagements, der Strukturierung, des Anwendungsbezugs der Inhalte, der Motivierung, der Problemsensibilität, der Klarheit, fachlichen Kohärenz usw. hilfreich (Helmke, 2003, S. 50 ff). Lernen ist ein aktiver und konstruktiver Prozess der Informationsverarbeitung, keine extern vermittelte, passive Informationsaufnahme. Alle Unterrichtsformen und -methoden können je nach Lehrer/-in effizient oder ineffizient, exzellent oder dilettantisch sein. Methoden lösen keine Probleme. Auf die Lehrer/-innen kommt es an. Lehrer/-innen wirken über Unterricht.

Das Modell der Politikkompetenz ist in der Praxis bisher kaum verbreitet. Es kann aber ein Hilfsmittel zur Strukturierung des Politikunterrichts sein. Es sorgt für klare Inhalte und zeigt den Lehrer/-innen, welche fachlichen Zusammenhänge relevant und begründbar sind. Das Modell beschreibt die vier Kompetenzdimensionen mit den jeweils dazu gehörenden Facetten. Facetten konkretisieren die Kompetenzbeschreibung. Sie müssen immer wieder bei verschiedensten Themen angesprochen werden. Derartige Wiederholungen sichern das Lernen und damit letztlich das vernetzte Denken durch Kumulation, Integration und Addition von Wissen. Einseitigkeiten des Unterrichts werden für die Lehrkräfte schnell sichtbar, Lücken im Lernangebot ebenfalls. Dadurch wird das Modell für Lehrer/-innen handhabbar. Es erleichtert das Unterrichten.

5. Ausblick

Entscheidend für das Gelingen des Politikunterrichts sind keine Testergebnisse, die von der Fachdidaktik rückgemeldet werden. Eine Reihe von systematisch angelegten Studien sind in den letzten Jahren bereits vorgelegt worden. Entscheidend ist vielmehr, ob der rückgemeldete Outcome von den Lehrkräften in eine verbesserte Unterrichtsqualität umgedacht und übersetzt wird. Wenig hilfreich ist, dass die politikdidaktische Diskussion über Kompetenzen stark fachpolitisch geprägt ist. Zahlreiche Fehlrezeptionen kursieren. Deshalb sind ein Fachdiskurs und die Fachsprache, die die Zusammenhänge von Kompetenz und Inhalten systematisch beleuchten, wenig ausgebildet. Denn eine Wissenschaft, die ihre Überlegungen nur aus nicht überprüften und normativ-deduktiven Prämissen ableitet, stößt schnell an ihre Grenzen (Manzel 2012, S. 145). Die Politikdidaktik ist erst in Ansätzen forschungsbezogen und evidenzbasiert. Eine Steigerung der professionellen Kompetenz der Politiklehrkräfte (Weschenfelder, 2014) ist des Weiteren erforderlich. Die nachhaltige Entwicklung der professionellen Kompetenz ist angezeigt. Hierfür ist die Qualität der Fortbildungen zu erweitern. Die Prozessmerkmale des Unterrichts sind stärker in den Blick zu nehmen. Unterricht kann nicht standardisiert erfolgen, aber kognitiv aktivierend. Die wenigen empirisch belastbaren Ergebnisse zeigen, dass der Politikunterricht noch nicht die gewünschten Erfolge zeigt und Verbesserungsbedarf besteht. Der Zweck des Politikunterrichts ist aber die Ermöglichung erfolgreichen Lernens.

Literatur

Anderson, J. R. (2001): Kognitive Psychologie. 3. Auflage. Heidelberg: Spektrum.

Blum, W. (2006): Bildungsstandards Mathematik. In: Blum, W./Drüke-Noe, C./Hartung, R./Köller, O. (Hrsg.): Bildungsstandards Mathematik: konkret. (S. 14-32). Berlin: Cornelsen.

Breit, G./Weißeno, G. (2013): Entwicklung von Urteilsaufgaben im kompetenzorientierten Politikunterricht. In: Frech, S. & Richter, D. (Hrsg.): Politische Kompetenzen fördern (S. 145-163). Schwalbach: Wochenschau.

Breit, G./ Weißeno, G. (2015): Kompetenzorientierter Politikunterricht – vom theoretischen Modell zur Unterrichtsplanung. In: Frech, S./Richter, D. (Hrsg.): Politikunterricht professionell planen (im Erscheinen). Schwalbach: Wochenschau.

Detjen, J./Massing, P./Richter, D./Weißeno, G. (2012): Politikkompetenz – ein Modell. Wiesbaden: Springer.

Helmke, A. (2004): Unterrichtsqualität erfassen, bewerten, verbessern (2. Aufl.). Seelze: Kallmeyer.

Klauer, K. J./Leutner, D. (2012): Lehren und Lernen. Einführung in die Instruktionspsychologie. (2. Aufl.). Weinheim: Beltz PVU.

Klieme, E./Leutner, D. (2006): Kompetenzmodelle zur Erfassung individueller Lernergebnisse und zur Bilanzierung von Bildungsprozessen. Beschreibung eines neu eingerichteten Schwerpunktprogramms der DFG. Zeitschrift für Pädagogik, 52, S. 876-903.

Klieme, E./Hartig, J. (2007): Kompetenzkonzepte in den Sozialwissenschaften und im erziehungswissenschaftlichen Diskurs. In: Prenzel, M./Gogolin, I. & Krüger, H.-H. (Hrsg.), Kompetenzdiagnostik (S. 11-29). Wiesbaden: VS-Verlag.

Kunter, M./Trautwein, U. (2013): Psychologie des Unterrichts. Paderborn: Schöningh.

Manzel, S. (2012): Anpassung an wissenschaftliche Standards oder Paradigmenwechsel in der Politikdidaktik? Zeitschrift für Politikwissenschaft, 22, Heft 1, S. 143-154.

Manzel, S./Gronostay, D. (2013): Videografie im Politikunterricht – Erste Ergebnisse einer Pilotstudie zu domänenspezifischen Basisdimensionen. In: Riegel, U./ Macha, K. (Hrsg.): Videobasierte Kompetenzforschung in den Fachdidaktiken (S. 198-215). Münster: Waxmann.

Meyer, H. L. (1974): Trainingsprogramm zur Lernzielanalyse. Frankfurt: Fischer Taschenbuch Verlag.

Oelkers, J./Reusser, K. (2008): Expertise: Qualität entwickeln – Standards sichern – mit Differenz umgehen. In: Bundesministerium für Bildung und Forschung (Hrsg.), Bildungsforschung Band 27. Berlin.

Roth H. (1971): Pädagogische Anthropologie. Band II: Entwicklung und Erziehung. Hannover: Schroedel.

Sander, W. (2013): Im Land der kompetenten Säuglinge. FAZ, 26.04.2013

Solso, R. L. (2005): Kognitive Psychologie. Heidelberg: Springer.

Weißeno, G. (2012): Dimensionen der Politikkompetenz. In: Weißeno, G./Buchstein, H. (Hrsg.): Politisch Handeln. Modelle, Möglichkeiten, Kompetenzen (S. 156-177). Opladen: Barbara Budrich Verlag.

Weißeno, G./Detjen, J./Juchler, I./Massing, P./Richter, D. (2010): Konzepte der Politik – ein Kompetenzmodell. Bonn: Bundeszentrale für politische Bildung. Pdf: http://www.bpb.de/shop/buecher/schriftenreihe/35835/konzepte-der-politik

Weißeno, G. (2014): Konstruktion einer politikdidaktischen Theorie. In: Weißeno, G./
   Schelle, C. (Hrsg.): Empirische Forschung in gesellschaftswissenschaftlichen
   Fachdidaktiken – Ergebnisse und Perspektiven. Wiesbaden: Springer.
Weißeno, G./Landwehr, B. (2014): Effektiver Unterricht über die Europäische Union
   – Ergebnisse einer Studie zur Schülerperzeption von Politikunterricht. In: Oberle,
   M. (Hrsg.): Die Europäische Union erfolgreich vermitteln. Perspektiven der poli-
   tischen EU-Bildung heute. Wiesbaden: Springer Verlag (i.E.).
Weschenfelder, E. (2014): Professionelle Kompetenz von Politiklehrkräften. Eine
   Studie zu Wissen und Überzeugungen. Wiesbaden: Springer VS.
Zedler, P. (2007): Vernachlässigte Dimensionen der Qualitätsentwicklung und Quali-
   tätssicherung von Unterricht und Schule, Erziehung und Bildung. In: Benner, D.
   (Hrsg.): Bildungsstandards. Chancen und Grenzen. Beispiele und Perspektiven
   (S. 61-72). Paderborn: Schöningh.

Was macht ein politisches Urteil aus?
Ein Modellvorschlag für mündliche Urteile

Sabine Manzel

Die Frage, was ein politisches Urteil ausmacht, beschäftigt seit langem sowohl die Fachdidaktik als auch Lehrkräfte im Fachunterricht. Gerade weil die Politische Bildung die politische Urteilsfähigkeit als bedeutende Kompetenz für mündige Bürger/-innen benannt hat und im Politikunterricht fördern möchte, ist es dringend geboten, Lehrer/-innen konkrete Hinweise zu geben, was unter politischem Urteilen zu verstehen sei und welche Facetten ein politisches Urteil beinhalten kann. Mit dem Politik-Kompetenzmodell (Detjen et al., 2012) sind fünf Urteilsarten inklusive Operatoren für passende Aufgabenstellungen benannt, die eine gute Orientierung für den Fachunterricht bieten. In einer Fortbildungsreihe mit Lehrkräften in NRW ist ein Modellvorschlag entwickelt worden, der erste Bewertungskriterien für ein mündliches politisches Urteil aufstellt. Diese Ideen gilt es auszubauen – sowohl für mündliche als auch schriftliche politische Urteile – in Kategoriensysteme umzuwandeln und in empirischen Studien auf Validität, Reliabilität und Anwendbarkeit zu prüfen.

1. Bewerten/Urteilen als fächerübergreifende Kompetenz

Bewerten hängt aus lernpsychologischer Sicht eng mit Urteilen zusammen und wird definiert als Verknüpfung zugänglicher Informationen zu einem Sachverhalt mit der persönlichen Wertehaltung über den Sachverhalt. Urteile sind das Endprodukt von psychologischen Prozessen: einem Urteilsobjekt wird ein Wert auf einer Urteilsdimension zugeordnet (Betsch et al., 2012, S. 12). Die Bewertung ist somit zwar von subjektiven Werthaltungen geprägt, unterliegt jedoch keiner völligen Beliebigkeit, da sie ebenso von sachlichen Informationen abhängt. Aus lerntheoretischer Sicht durchlaufen die Lernenden beim Urteilsprozess fünf Stufen der Informationsverarbeitung: 1. Selektive/subjektive Wahrnehmung von Informationen/Aufmerksamkeit, 2. Vorwissen/Erwartungen, 3. Abruf von Gedächtnisinhalten/organisiertes Wissen/Schemata/Konzepte/Strukturen, 4. Kategorisierung/domänenspezifische Operationen/Hinweisreize und 5. Informationsintegration zwischen Umwelt und Person (a.a.o.).

Aus den Zielen der Rahmenvorgaben oder Kernlehrpläne in NRW lässt sich ableiten, dass Argumentieren und Urteilen eine fächerübergreifende Kompetenz sei: Schüler/-innen sollen in den Naturwissenschaften dazu befähigt werden, im ethischen Diskurs reflektiert und begründet Stellung beziehen zu können. Die ökologische Urteilskompetenz bezeichnet die Fähigkeit, „ökologisches Sachwissen systematisch auf umweltrelevante Werthaltungen beziehen zu können, um zu einem entscheidungsvorbereitenden Urteil zu gelangen. Die ökologische Bewertungskompetenz erfordert demnach (1) ökologisches Sachwissen, (2) Wissen um relevante Normen und Werte, (3) Unterscheidungsfähigkeit zwischen Fakten und Normen/Werten und (4) Bewertungsstrukturwissen" (Bögeholz et al., 2004, S. 101). Schecker & Höttecke (2007) fordern eine Diskussion über Chancen und Gefahren von Umwelthandeln sowie die Reflexion von bereits getroffenen Entscheidungen. Laut KMK sollen Schüler/-innen ihren eigenen Standpunkt vertreten „unter Berücksichtigung individueller und gesellschaftlich verhandelbarer Werte" (KMK, 2004, S. 12). In der Biologiedidaktik wurde dazu ein Modell entwickelt, dass sich mit der kognitiven Reflexions- und Urteilsfähigkeit auseinandersetzt und Bewertungskompetenz als die Fähigkeit sieht, „die ethische Relevanz naturwissenschaftlicher Themen wahrzunehmen, damit verbundenen Werte zu erkennen und abzuwägen sowie ein reflektiertes und begründetes Urteil zu fällen" (Mittelsten, Scheid & Hößle, 2008, S. 88). Auch in der Religion/Ethik gibt es aktuelle Forschungsprojekte zum ethischen und moralischen Urteilen (vgl. Benner et al., 2012: DFG-Projekt ETiK). In der Wirtschaftsdidaktik und Wirtschaftspädagogik haben bereits Beck et al. (1997) über das moralische Urteilen in der kaufmännischen Erstausbildung geforscht. Die Geschichtsdidaktik fordert in Kompetenzmodellen die Herausbildung von historischer Urteilsfähigkeit (z.B. Schreiber, 2008; Rüsen, 2005) und hat die Dilemma-Methode in zahlreichen Publikationen als Instrument dafür bestimmt, eine empirische Überprüfung fehlt bislang jedoch.

Die internationale Forschung zu Urteilen bzgl. socio-scientific issues orientiert sich stark an ethischen Fragestellungen, Technik-Folgen-Abschätzung, nachhaltiger Entwicklung und moralischen Dilemmata (vgl. Sadler & Zeidler, 2005; Grace, 2009; Papadouris, et al. 2010), bei der die politische Perspektive der politisch verantwortlichen Akteure und ihrer Macht- sowie Handlungsoptionen außen vor bleiben. An der Wahl der Themen, die den Studien zugrunde liegen (z.B. Entstehung des Menschen, Sicherheit von chemischen Zusatzstoffen für Lebensmittel, Bau der ägyptischen Pyramiden), wird die Politikferne deutlich. Der Wert der Gerechtigkeit und die Tugend der Fairness (Zeidler et al., 2013) sind Bewertungsmaßstäbe, die jedoch nur ein sehr verkürztes politisches Urteil erlauben. Die Szenarien lassen sich eher dem allgemeinen Problemlösen zuordnen und erreichen nicht das Niveau des politischen Gestaltungsurteils (Detjen et al., 2012, S. 57f.).

2. Urteilen als fachspezifische Kompetenz

Politisches Urteilen lässt sich ähnlich der lernpsychologischen Auffassung definieren als ein Prozess, bei dem eine Person einem politischen Urteilsobjekt einen politischen Wert auf einer Urteilsdimension zuordnet. In einem Urteil werden mindestens zwei Begriffe miteinander verknüpft (z.B. eine Person und eine Eigenschaft). Gerade in der Politik stellt sich die Multiperspektivität und Kontroversität beim Bewerten eines politischen Sachverhaltes oder einer gesellschaftspolitischen Entscheidung jedoch anders dar als in anderen Domänen. Aussagen, die im Bereich der Politik etwas Sachliches feststellen oder eine sachliche Schlussfolgerung ziehen, sind noch keine politischen Urteile im eigentlichen Sinne (Arendt, 1985, S. 96). Politische Urteile verlangen eine Haltung des Gemeinsinns (Hermenau, 1999, S. 24) und beziehen zustimmend oder ablehnend Stellung oder drücken gar einen Willensentschluss aus. Juchler (2005) definiert Politisches Urteilen als „verständigungsorientiertes Abwägen des Eigeninteresses des Individuums mit den tatsächlichen oder vorgestellten Interessen anderer nach Maßgabe politischer Werte in Bezug auf einen in der politischen Öffentlichkeit thematisierten Sachverhalt ..., so dass es für jedes Mitglied des politischen Gemeinwesens als prinzipiell zustimmungsfähig erscheint" (S.142).

Konstitutives Element ist die a(nta)gonistische Dimension von Politik, in der multiple Interessen mit unterschiedlichen Machtpositionen und -ressourcen aufeinandertreffen (vgl. Mouffe 2010). Schüler/-innen sind beim Bewerten von Entscheidungs- und Konfliktsituationen in Politik auch damit konfrontiert, politische Widersprüche (Dissonanzen) auszuhalten und bei Entscheidungsurteilen zwischen konfligierenden Alternativen zu wählen, immer vor dem Wissen, dass es in einer pluralistischen Demokratie um temporäre, widerrufliche Artikulationen kontingenter Verfahrensweisen geht, die jederzeit je nach politischer Machtkonstellation und gesellschaftlich ausgehandelter Wertmaßstäbe veränderbar sind.

Man kann politische Gegebenheiten aus der Sicht von Betroffenen beurteilen, und dies noch differenziert nach den sozialen Lagen und den politischen Einstellungen verschiedener Gruppen von Betroffenen. Man kann sie auch aus der Sicht (partei-)politischer Akteure beurteilen, und dies ebenfalls differenziert, nämlich nach Regierenden und Opponierenden. Bei Betroffenen wie bei Akteuren mischen sich eigennützige Überlegungen mit Gemeinwohlüberlegungen. Schließlich gibt es noch die übergreifende Perspektive des politischen Systems. Diese Perspektive könnte man auch die des idealen Staatsbürgers nennen, dem es nicht um eigene Vorteile, sondern nur um das Wohl eines Gemeinwesens geht. Maßgebliche Urteilskriterien sind hier die Erhaltung der Systemstabilität und die Verwirklichung eines tragfähigen Gemeinwohls (vgl. Massing, 1997, S. 120 ff.).

Zudem besteht ein fundamentaler Unterscheid zwischen einem moralischen Urteil und einem politischen Urteil. Beim politischen Urteilen erwächst die Normativität aus dem intentionalen Handeln von gesellschaftlichen und politischen Akteuren. Politik bedeutet, unter Berücksichtigung von Wertmaßstäben sowie Zielvorstellungen sich in Situationen mit unterschiedlichen Handlungsoptionen für oder gegen eine davon auszusprechen und diese Entscheidung sich selbst oder anderen als begründeten Handlungsimperativ vorzuschreiben. Dabei sind die Begrenztheit von Ressourcen, die Machtposition und Durchsetzungsfähigkeit einzukalkulieren. Getroffene politische Entscheidungen und Urteile wirken sich auf die Menschen in einer Gemeinschaft aus, weshalb diese Urteile durch politische Gerechtigkeits- und Gemeinwohlvorstellungen moralisch affiziert sind. Gleichwohl dürfen politische Urteile nicht mit Moralurteilen gleichgesetzt werden, denn diese fallen gemäß der angelegten ethischen Prinzipien in der Regel viel rigider aus als politische Urteile. In Moralurteilen spielt folglich die reale politische Situation eine untergeordnete Rolle und Interessen- und Machtkonstellationen der Akteure werden stark vernachlässigt. Eine rein moralische Orientierung kann der Komplexität der Politik deshalb nicht gerecht werden. Man kann zwar moralisch über Politik urteilen. Ausschließlich nach moralischen Kriterien über Politik zu urteilen heißt aber, nicht angemessen über Politik zu urteilen (Massing, 2003, S. 92 f.).

In der Politikdidaktik wird die politische Rationalität unterteilt in Zweck- und Wertrationalität. Dabei steht die Zweckrationalität für eine optimale Relation zwischen einem beliebig gesetzten politischen Zweck und den zu seiner Verwirklichung eingesetzten Mitteln (Effizienz, Kosten-Nutzen). In der Wertrationalität wird der moralische Gehalt von Politik repräsentiert (Menschenwürde, Grundrechte, Legitimität). Beide Rationalitäten müssen beim Urteilsvorgang in der einen oder anderen Gewichtung zur Geltung kommen. Denn dies ist auch der Fall bei politischen Entscheidungen, die subjektiv anerkannt werden und zugleich objektiv akzeptabel sind.

Argumentieren und selbständiges Urteilen aus verschiedenen Perspektiven (Betroffene, pol. Akteure, System) bezüglich strittiger politischer, wirtschaftlicher oder gesellschaftlicher Themen oder Handlungsfelder unter Sach-, Zweck- und Wert-Rationalitäten bilden zusammen eine wesentliche Basis des Politikunterrichts. Schüler/-innen erwerben bereits in der Sekundarstufe I im Politikunterricht entsprechende Kompetenzen.

Die Urteilskompetenz ist im neuen Politik-Kompetenzmodell (Detjen et al., 2012 als vierte Kompetenzdimension neben Fachwissen, Handlungsfähigkeit und Motivation/Einstellung theoriegeleitet begründet. In Bezug auf

die Modellierung von Kompetenzen wird im Bereich der politischen Urteilskompetenz unterschieden zwischen deskriptiven Feststellungs- und Erweite-
rungsurteilen und normativen Urteilen, die sich in Entscheidungs-, Wert- und
Gestaltungsurteile gliedern (Detjen et al, 2012). Als Kriterien der Qualität
von politischen Urteilen wurden bislang herangezogen: die Zweck- und
Wertrationalität (Massing, 1997; Juchler, 2005), verschiedene Urteilsperspek-
tiven (Massing, 1997), grammatikalisch-logische Aspekte, politisch-katego-
riale und persönlich-wertende Aspekte (Eyrich-Stur, 2009) sowie das Fachwissen (Detjen et al., 2012). Bislang gibt es in der Politikdidaktik lediglich
empirisch ungeprüfte „Soll"-Beschreibungen von „politischer Argumentati-
ons- und Urteilsfähigkeit (Petrik 2011, Massing & Schattschneider, 2005),
eine Kompetenzmodellierung mit Niveauabstufungen, die wissenschaftlichen
Standards genügt, liegt noch nicht vor (Manzel, 2012).

Politische Urteilssituationen stellen ähnlich wie das Bewerten naturwissenschaftlicher Sachverhalte im Kontext sozialwissenschaftlicher Themen als
gering strukturierte Problemlagen („ill-defined problems") besondere Anforderungen an die Schüler/-innen. Aus dem Bereich der Forschung zu „socio
scientific issues" ist bekannt, dass Schüler/-innen Schwierigkeiten beim Urteilen in gering strukturierten Domänen zeigen (Acar, Turkmen & Roychoud-
hury, 2010; Jiménez-Aleixandre & Pereiro Muñoz, 2002; Kortland, 1996)
und ihre Argumentation förderbedürftig (Kuhn & Udell, 2007), aber auch
förderfähig (Venville & Dawson, 2010; Zohar & Nemet, 2002) ist. Politische
Urteile verlangen aufgrund der Natur politischer Problemlagen (ill-structered
problems) hohe kognitive Fähigkeiten der Urteilenden. Hierzu tragen neben
den Merkmalen der Komplexität, Vernetztheit, Intransparenz und Dynamik
politischer Sachverhalte insbesondere die für Entscheidungsfragen typische
Polytelie und Dialektik bei (Detjen et al., 2012).

3. Fachliche Modellierung und ihre Schwierigkeiten – Ideen zur Operationalisierung von mündlicher politischer Urteilskompetenz

Eine Modellierung der Kompetenzdimension Urteilen lässt sich vom Fachwissen nicht trennscharf abgrenzen, denn Fachkonzepte bilden die sachliche
Basis für die fünf Urteilsfacetten. Die Problematik der Überschneidung der
Argumentations- und Urteilskompetenz nicht nur zu den anderen Unterrichts-
fächern, sondern auch zur Literalität und Sprache wird in der Politikdidaktik
häufig benannt. Dass Lesekompetenz ein Bestandteil der politischen Urteilsbildung ist, ist seit PISA hinlänglich bekannt. Politik wird über Medien vermittelt und das Verstehen von politischen Texten und das Anwenden politischer Aussagen bildet die Basis für eine reflexive Argumentation (Richter,

2006; 2012). Schriftliche Urteile zu verfassen bedarf ebenso sprachlicher Fähigkeiten (u.a. Chudaske, 2012).

Aufgrund der fehlenden Modellierung politischer Urteilskompetenz in der Politikdidaktik und der strukturellen Gemeinsamkeit des Gegenstands der „socio-scientific-issues"-Forschung und politischer Urteile (geringe Struktur der Domäne) wird davon ausgegangen, dass an Modellierungen der Urteils-/ Bewertungskompetenz aus der Didaktik der Naturwissenschaften und an das Modell von King & Kitchener angeknüpft werden kann. Zwei Modelle der Bewertungs-/Urteilskompetenz erscheinen aufgrund ihrer fächer- und themenübergreifenden Konzeption besonders geeignet. Das ESNaS-Kompetenzmodell modelliert die Bewertungskompetenz beispielsweise anhand der Teilbereiche „Bewertungskriterien", „Handlungsoptionen" und „Reflexion", wobei jeweils zwischen fünf Niveaustufen zunehmender Komplexität differenziert wird (Hostenbach, Fischer, Kauertz, Mayer, Sumfleth & Walpuski, 2011). Als schwierigkeitserzeugend wird neben dem Merkmal zunehmender Komplexität die Art kognitiver Prozesse angeführt, während die Bewertungsperspektive (z.b. persönliche, gesellschaftliche, ethische Perspektive) als nicht schwierigkeitserzeugend angesehen wird. In der Politikdidaktik hingegen wird der Multiperspektivität beim Bewerten politischer Sachverhalte eine zentrale Rolle zugeschrieben und es wird angenommen, dass abstraktere Perspektiven (Ebene des politischen Systems, politischer Akteure) höhere Anforderungen an das Urteilen stellen als weniger abstrakte Perspektiven (eigene Betroffenheit) (Massing 1997).

Folgender Modellvorschlag für ein mündliches politisches Urteil (ausgenommen des Gestaltungsurteils) wurde auf der Basis des ESNaS-Modells, den Urteilsarten des Kompetenzmodells und in der Praxis gängigen politischen Kategorien in einer Lehrerfortbildung[1] erarbeitet:

Beim Sachurteil auf Stufe 1 und 2 lässt sich gemäß des ESNaS-Modells differenzieren zwischen Fakten-, Zusammenhangs- und Konzeptniveau, so dass hier jeweils eine 5-stufige Skala anzulegen ist. Bei den Werturteilen auf Stufe 3 und 4 kann die Bewertung des politischen Urteils ebenso abgestuft werden, z.B. nach Abstraktionsgrad Werturteil W1-Wx. In Anlehnung an Toulmin (1996) kann beim politischen Urteilen auch die Argumentationskonstruktion in Verbindung mit dem Fachinhalt gewertet werden. Ein Argument liegt vor, wenn zur Begründung einer Behauptung/Konklusion explizit auf ein Datum/Fakt verwiesen wird und die Schlussregel logisch erfolgt. Zur Stützung der Argumentation können Schüler/-innen z.B. Beispiele, Gesetze, Werte, aber auch Ausnahmebedingungen anführen. Allerdings lassen sich diese schematischen Elemente selten in einer mündlichen Argumentation wiederfinden, sondern eher in schriftlichen Urteilsprodukten. Neben der inhaltlichen Leistung kommen insbesondere in der

---

1   Besonderer Dank geht an Drinka Blome und Normen Hadamla, Lehrkräfte am Grashof-Gymnasium in Essen, die diesen Modellvorschlag mitausgearbeitet haben und bereits in ihrem Politik-/SoWi-Unterricht einsetzen.

mündlichen Argumentation und Urteilsbildung rhetorische Fähigkeiten, der Einsatz sprachlicher Mittel und die Elaborationsfähigkeit hinzu. Für Lernprozesse zum politischen Urteilen ist es hilfreich, Schüler/-innen diese Kriterien offen zu legen. Welche der genannten Faktoren letztlich in eine Leistungsbewertung einfließen, entscheidet die Lehrkraft individuell.

		mündliche Schüler/-innen-Leistung	kognitiver Prozess (ESNaS-Modell)	Operatoren	politische Kategorien	Verbindung zu den 5 Urteilsarten (Detjen et al., 2012)	
POLITISCHES/ sozialwissenschaftliches FACHWISSEN	Stufe 1	Problemaufriss, Fragestellung, Aktualitätsbezug	reproduzieren	erkennen, benennen, beschreiben	Betroffene/ Akteure und ihre Interessen, Konflikt, Problem	Feststellungsurteil	Ansteigender KOMPLEXITÄTSGRAD, ELABORATIONSTIEFE
	Stufe 2	Pro-Kontra-Argumente, Multiperspektivität	selegieren, organisieren	erschließen, prüfen, analysieren, vergleichen	Interessen, Akteure, Macht, Differenz, etc.	Erweiterungsurteil	
	Stufe 3	Werte identifizieren	organisieren, integrieren	analysieren, vergleichen, einordnen, interpretieren, erörtern	Wertkonflikte, Effizienz, Legitimität	Werturteil	
	Stufe 4	Abwägen der Argumente und Positionierung, Reflexion einer politischen Entscheidung und ihrer Konsequenzen sowie Umsetzbarkeit	integrieren und reflektieren	beurteilen, begründen, Stellung nehmen/eigene Position beziehen, problematisieren	Ergebnisse von Politik für das Gemeinwohl und für die Einzelnen	Entscheidungsurteil	

eigene Grafik

4. Ausblick

Bei der Entwicklung eines Kategoriensystems für politisches Urteilen besteht die Herausforderung, die Unterscheidung zwischen Sachinformation/Konzept und Werte/Normen, zwischen rationalen Elementen und emotional-individueller Betroffenheit, den epistemologischen Überzeugungen, die dem Urteilsprozess zugrunde liegen und ihn steuern können sowie die Intentionen einer politischen Argumentation (z.B. Appell, Überzeugung, Handlungsdirektive) zielführend zu operationalisieren.

Bisherige Pilotvideos (Manzel & Gronostay, 2013) zeigen die Schwierigkeit bei der Kodierung von Argumentationsprozessen und Niveaubeschreibungen. Gerade in der Sek. I ist die Elaborationsfähigkeit von Schüler/-innen noch nicht in dem Maße ausgeprägt wie in der Sek. II (Heckhausen & Heckhausen, 2006; Anderson, 1996; Seel, 2003), so dass genau untersucht werden muss, ob sich evtl. hinter knappen „Worthülsen" politische Fachkonzepte und darauf basierende Wert- und Entscheidungsurteile aufdecken lassen oder nicht. Die empirische Politikdidaktik ist aufgefordert, diese Urteilsprozesse genauer zu erforschen.

Literatur

Anderson, J.R. (1996): Kognitive Psychologie (2. Aufl.). Heidelberg: Spektrum.

Arendt, H. (1985): Das Urteilen. Texte zu Kants Politischer Philosophie. München: Piper.

Beck, K. et al. (1997): Die moralische Urteils- und Handlungskompetenz von kaufmännischen Lehrlingen – Entwicklungsbedingungen und ihre pädagogische Gestaltung. Reihe: Arbeitspapiere WP, Lehrstuhl für Wirtschaftspädagogik, Johannes Gutenberg-Universität Mainz, Heft 29.

Beck, A. (2011): Urteilsbildung im Geschichtsunterricht. In: Hodel, J./Ziegler, B. (Hrsg.): Forschungswerkstatt Geschichtsdidaktik empirisch. Bern.

Beck, A. (2010): Urteilsbildung im Geschichtsunterricht aus erzähltheoretischer Sicht. In: Handro, S./Schönemann, B. (Hrsg.): Geschichte und Sprache (S. 131-138). Berlin.

Benner, D. et al. (2009): Die Entwicklung moralischer Kompetenzen als Aufgabe des Ethik-Unterrichts an öffentlichen Schulen. Zur Konzeption des DFG-Projekts ETiK. Vierteljahrsschrift für wissenschaftliche Pädagogik, 85 (4), 504-515.

Betsch, T./Funke, J./Plessner, H. (2011): Denken – Urteilen, Entscheiden, Problemlösen. Allgemeine Psychologie für Bachelor. Heidelberg: Springer.

Bögeholz et al. (2004): Bewerten – Urteilen – Entscheiden im biologischen Kontext: Modelle in der Biologiedidaktik. Zeitschrift für Didaktik der Naturwissenschaften, 10, 89-116.

Chudaske, J. (2012): Einfluss der sprachlichen Kompetenz auf schulfachliche Leistungen. Wiesbaden: VS Verlag für Sozialwissenschaften.

Detjen, J./Massing, P./Richter, D./Weißeno, G. (2012): Politikkompetenz – ein Modell für den Unterricht. Wiesbaden: VS Verlag für Sozialwissenschaften.

Eyrich-Stur, M. (2009): Wie urteilen Hauptschüler über Politik? Eine deskriptive Studie über die politische Urteilskompetenz von Hauptschülern unter besonderer Berücksichtigung geschlechtstypischer Zusammenhänge. Hamburg: Kovac.

Grace, M. (2009): Developing high-quality decision-making discussions about biological conservation in a normal classroom setting. International Journal of Science Education, 31, 551-570.

Heckhausen, J./Heckhausen, H. (2006): Motivation und Handeln. Berlin/Heidelberg/New York: Springer.

Hermenau, F. (1999): Urteilskraft als politisches Vermögen. Zu Hannah Arendts Theorie der Urteils-kraft. Lüneburg: zu Klampen.

Hostenbach, J. u.a. (2011): Modellierung der Bewertungskompetenz in den Naturwissenschaften zur Evaluation der Nationalen Bildungsstandards. ZfDN, 17, 261-288.

Juchler, I. (2005): Demokratie und politische Urteilskraft. Überlegungen zu einer normativen Grundlegung der Politikdidaktik, Schwalbach/Ts: Wochenschau.

Kauertz, A./Fischer, H.E. (2006): Assessing Students' Level of Knowledge and Analysing the Reasons for Learning Difficulties in Physics by Rasch Analysis. In: Xiufeng, L./Boone, W.E. (eds.): Applications of Rasch Measurement in Science Education. (p. 212-246): USA: JAM press.

King, P. M./Kitchener. K. S. (2004): Reflective Judgment: Theory and Research on the Development of Epistemic Assumptions Through Adulthood. Educational Psychologist, 39, 5-18.

King, P. M./Kitchener, K. S. (2002): The Reflective Judgment Model: Twenty Years of research on Epistemic Cognition. In: Hofer, B. K./Pintrich, P. R. (eds.): Personal epistemology: The psychology of beliefs about knowledge and knowing. (S. 37-61): Mahaway, NJ. Lawrence Erlbaum.

King, P. M./Kitchener, K. S. (1994): Developing reflective judgment: Understanding and promoting intellectual groth and critical thinking in adolescents and adults. San Francisco: Jossey-Bass.

Kitchener, K. S. (1983): Cognition, metacognition and epistemic cognition: a three-level model of cognitive processing. Human Development, 4, 222-232.

King, P. M./Kitchener, K. S. (1981): Reflective Judgment: Concepts of Justification and Their Relationship to Age and Education. Journal of Applied Development Psychology 2, 89-116.

Kortland, K. (1996): An STS case study about students' decision making on the waste issue. Science Education, 80, 673-689.

Kuhn, D. (1991): The skills of argument. Cambridge, UK: Cambridge University Press.

Kuhn, D./Park, S.-H. (2005): Epistemological understanding and the development of intellectual values, Educational Research, 43, 111-124.

Kuhn, D./Cheney, R./Weinstock, M. (2000): The development of epistemological understanding, Cognitive Development, 15, 309-328.

Kuhn, D. & Udell, W. (2007): Coordinating own and other perspectives in argument. Thinking and Reasoning, 13(2), 90-104.

Kultusministerkonferenz (Hrsg.) (2004): Bildungsstandards im Fach Biologie für den Mittleren Schulabschluss. München: Wolters.

Lind, G. (2003): Moral ist lehrbar. Handbuch zur Theorie und Praxis moralischer und demokratischer Bildung, München

Manzel, S./Gronostay, D. (2013): Videografie im Politikunterricht – Erste Ergebnis-se einer Pilotstudie zu domänenspezifischen Basisdimensionen. In: Riegel, U./Macha, K. (Hrsg.): Videobasierte Kompetenzforschung in den Fachdidaktiken (Fachdidaktische Forschungen: Bd. 4). (S. 198-215). Münster: Waxmann.

Manzel, S. (2012): Anpassung an wissenschaftliche Standards oder Paradigmenwechsel in der Politikdidaktik? Zum empirischen Aufbruch einer neuen Generation von Politikdidaktiker/-innen. In: ZPol, Zeitschrift f. Politikwissenschaft 22. Jahrgang (2012) Heft 1, S. 143-154

Massing, P./Schattschneider, J. (2005): Aufgaben zu den Standards der Politischen Bildung. Ergebnisse einer Pilotstudie. In Gesellschaft für Politikdidaktik und politische Jugend- und Erwachsenenbildung. In: GPJE (Hrsg.): Testaufgaben und Evaluation in der politischen Bildung (S. 23-40). Schwalbach/Ts.: Wochenschau.

Massing, P. (2003): Kategoriale politische Urteilsbildung. In: Kuhn, H.-W.: Urteilsbildung im Politikunterricht. Ein multi-mediales Projekt, Schwalbach, S. 91-99

Massing, P. 1997: Kategorien politischen Urteilens und Wege zur politischen Urteilsbildung. In: Bundeszentrale für politische Bildung (Hrsg.): Politische Urteilsbildung. Aufgabe und Wege für den Politikunterricht, Bonn, S.115-131

Mittelsten Scheid, N./Hößle, C. (2008): Bewerten im Biologieunterricht: Niveaus von Bewertungskompetenz. Erkenntnisweg Biologiedidaktik, 6, 87-104.

Mouffe, Ch. (2010): Über das Politische. Wider die kosmopolitische Illusion. Bonn: BpB.

Oleschko, S. (2013): Sprachbildung und Sprachförderung im Politikunterricht – Argumente für sprachsensiblen Unterricht. In: Besand, A. (Hrsg.): Lehrer- und Schülerforschung in der politischen Bildung. (S. 193-207). Schwalbach: Wochenschau.

Papadouris, N./Constantinou, C. P. (2010): Approaches employed by sixth-graders to compare rival solutions in socio-scientific decision-making tasks. Learning and Instruction, 20, 225-238.

Petrik, A. (2011): Argumentationsanalyse: Methode zur politikdidaktischen Rekonstruktion der Konfliktlösungs- und Urteilskompetenz. In: Zurstrassen, B. (Hrsg.): Was ist los im Klassenzimmer? Diagnostik, Evaluation und Erforschung des sozialwissenschaftlichen Unterrichts. Schwalbach/Ts.: Wochenschau.

Richter, D. (2012): Politisches Argumentieren im Politikunterricht – Auf der Suche nach einem Analyseinstrument. In: Weißeno, G./Buchstein, H. (Hrsg.): Politisch Handeln. Modelle, Möglichkeiten, Kompetenzen (S. 178-192). Opladen: Barbara Budrich.

Richter, D. (2006): Civic literacy, reading literacy – gibt es auch eine „politische Lesekompetenz"? In: GPJE (Hrsg.): Standards der Theoriebildung und empirischen Forschung in der politischen Bildung (S. 55-65). Schwalbach: Wochenschau.

Rüsen J. (2005): Werturteile im Geschichtsunterricht. In: Bergmann, K. et al. (Hrsg.): Handbuch der Geschichtsdidaktik (S. 304-308). Seelze.

Sadler, T. D./Zeidler, D. L. (2005): Patterns of Informal Reasoning in the Context of Socioscientific Decision Making. Journal of Research in Science Teaching, Vol. 42 No. 1, 112-138.

Schecker, H./Höttecke, D. (2007): „Bewertung" in den Bildungsstandards Physik. Aufgaben zum Kompetenzbereich „Bewertung". Unterricht Physik, 18(97), 29-37.

Schreiber, W. (2008): Ein Kompetenz-Strukturmodell historischen Denkens. Zeitschrift für Pädagogik, 54, 199-212.

Seel, N. M. (2003): Psychologie des Lernens: Lehrbuch für Pädagogen und Psychologen. München, Basel: UTB Reinhardt.

Toulmin, S. (1996): Der Gebrauch von Argumenten. Weinheim: Beltz.

Venville, G. J./Dawson, V. M. (2010): The Impact of a Classroom Intervention on Grade 10 Students' Argumentation Skills, Informal Reasoning and Conceptual Understanding of Science. Journal of Research on Science Teaching, 47(8), 952-977.

Zeidler, D. L. et al. (2013): Cross-Cultural Epistemological Orientations to Socioscientific Issues. Journal of Research in Science Teaching, 50 (3), 251-283.

Zohar, A./Nemet, F. (2002): Fostering students' knowledge and argumentation skills through dilemmas in human genetics. Journal of Research in Science Teaching, 39, 35-62.

„Ich bin dagegen, weil…" – Argumentative Lehr-Lernprozesse im Politikunterricht

Dorothee Gronostay

1. Einleitung

Bundestagsdebatte, Koalitionsverhandlung, Ausschusssitzung oder Polit-TV-Talkshow – mündliche Argumentationen in politischen Institutionen, medialen Formaten und natürlich hinter den Kulissen erfüllen vielfältige Zielsetzungen und finden unter sehr unterschiedlichen Bedingungen statt.

Welche didaktischen Herausforderungen ergeben sich aus der Relevanz und Besonderheit politischer Argumentation und Rhetorik für den Politikunterricht[1]? Jeder kennt das böse Wort vom Politikunterricht als „Laberfach", in dem „Meinungsgirlanden" und „Betroffenheitspalaver" vorherrschen (Massing, 1997). Hieraus lässt sich schließen, dass Argumentation offensichtlich nicht gleich Argumentation ist, und dass die unterrichtliche Gestaltung kontroverser argumentativer Lehr-Lernprozesse kein einfaches Unterfangen darstellt. Dieser Beitrag bietet erste analytische Hilfen und Gedanken zur Ursachenforschung.

Den/die Leser/-in erwartet folgender Aufbau: Zunächst wird die Relevanz argumentativer Lehr-Lernsettings für den Politikunterricht aufgezeigt (Kapitel zwei). Dann erfolgt die Vorstellung zentraler argumentationstheoretischer Grundlagen (Kapitel drei) sowie eine Einführung in Besonderheiten mündlicher Argumentation (Kapitel vier). In Kapitel fünf stehen zentrale Klassifikationsmerkmale argumentativer Lehr-Lernsettings im Vordergrund. Hier wird ein besonderes Augenmerk auf Implikationen stark konfrontativer Settings auf die zu erwartenden Schüler/-innen-Argumentationen und den damit verbundenen Kompetenzerwerb gelegt. Vier verschiedene Förderansätze der Argumentationskompetenz bilden den Schwerpunkt von Kapitel sechs. Im Fazit werden die wichtigsten Erkenntnisse noch einmal zusammengefasst (Kapitel sieben).

---

[1] Aufgrund der Vielzahl an bundesland-, schulform- und jahrgangsspezifischen Fachkonzeptionen für die politische Bildung („Politik/Wirtschaft", „Sozialkunde", „Sozialwissenschaften", „Gemeinschaftskunde" usw.) wird hier der besseren Lesbarkeit halber ausschließlich der Begriff „Politikunterricht" verwandt.

2.   Relevanz argumentativer Lehr-Lernprozesse

Die Relevanz argumentativer Lehr-Lernprozesse für den Politikunterricht ergibt sich im Wesentlichen aus folgenden Begründungslinien:

Politik kann als „Feld des Kommunizierens und Interagierens, der Auseinandersetzung und Kompromissfindung" (Goll, 2012, S. 193) charakterisiert werden. Dementsprechend sind Begründungs- und Rechtfertigungsdiskurse (Detjen, Massing, Richter & Weißeno, 2012, S. 38) – medial vermittelt wie auch hinter den Kulissen – elementare Bestandteile des Politischen. Die Logik des Handlungsfelds Politik selbst legt somit eine Beschäftigung mit politischer Argumentation nahe.

Eine normative Begründung ergibt sich aus den im Beutelsbacher Konsens (1976) formulierten Gestaltungsprinzipien politischer Bildung. Kontroversitätsgebot, Indoktrinationsverbot und Schüler/-innen-Orientierung lassen sich als Grundpfeiler eines Berufsethos interpretieren, der die Implementation argumentativer Kontroversverfahren im Unterricht erforderlich macht.

Darüber hinaus ergibt sich die Relevanz argumentativer Lehr-Lernprozesse für den Politikunterricht aus Überlegungen zur Prozessqualität von Unterricht. Fachdidaktische Konzeptionen wie von Giesecke oder Hilligen, die sich schließlich komprimiert in fachdidaktischen Prinzipien (Konfliktorientierung, Problemorientierung) niedergeschlagen haben, sehen die argumentative Auseinandersetzung der Schüler/-innen mit dem jeweiligen Konflikt oder Problem vor.

Als weitere Begründungslinie kann im Sinne der Outcome-Orientierung im Bildungswesen die Förderung von Kompetenzen durch Argumentation herangezogen werden (siehe Kapitel 5). Hierzu müssten jedoch zunächst theoretisch begründete Annahmen darüber vorliegen, inwiefern und welche politischen Fähigkeiten mittels argumentativer Lehr-Lernprozesse gefördert werden können. Erst dann ist eine empirische Überprüfung der anzunehmenden Wirkzusammenhänge durch Unterrichtsforschung möglich.

3.   Argumentationstheoretische Grundlagen

Im Folgenden wird der formale Aufbau einer Argumentation vorgestellt, der wichtig für das Verständnis verschiedener Argumentationsstrategien ist (siehe Kapitel vier).

Eine Argumentation besteht nach der Definition des Argumentationstheoretikers Toulmin aus einer strittigen Behauptung und einer Begründung. Letztere dient dabei dem Nachweis der Plausibilität und Haltbarkeit der aufgestellten These. Je nach Erfordernis der Argumentationssituation werden weitere Aussagen zur Stützung der strittigen Behauptung angeführt oder auch der Geltungsbereich dieser durch Modaloperatoren (z.B. „in der Regel", „oft") oder die Formulierung von Ausnahmebedingungen (z.B. „es sei denn…", „x gilt, wenn y") präzisiert (Toulmin, 1996, S. 96f.).

Abbildung 1: Aufbau einer Argumentation (in Anlehnung an Toulmin 1996)

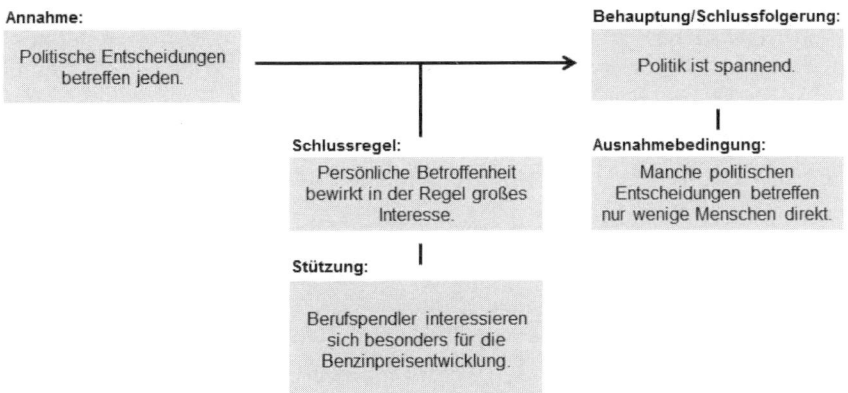

Detjen (2014) bringt den Zweck einer Argumentation so auf den Punkt: „Um den Geltungsanspruch einer strittigen Aussage zu stützen, zieht man andere, unstrittige Aussagen heran" (S. 160). Welche Aussagen als strittig angesehen werden, ist jedoch kontextabhängig. Somit ergibt sich die Bestimmung einer Aussage als Annahme, Schlussregel, Konklusion (=strittige These) oder Ausnahmebedingung aus ihrer Funktion innerhalb der Argumentation insgesamt. Wird beispielsweise die Schlussregel aus Abbildung eins („Persönliche Betroffenheit bewirkt in der Regel großes Interesse") vom Gegenüber nicht akzeptiert, so wird sie im weiteren Gesprächsverlauf zur strittigen These, welche durch stützende Aussagen begründet oder in ihrer Geltung durch Modaloperatoren und Ausnahmebedingungen weiter eingeschränkt werden kann.

Der formale Aufbau einer Argumentation gilt prinzipiell für alle denkbaren Inhaltsbereiche gleichermaßen, von der mathematischen Beweisführung über die Rechtfertigung einer politischen Entscheidung bis hin zu moralischen Prinzipien. Nicht universell sind dagegen die jeweiligen Begründungsmöglichkeiten: Während für die Akzeptanz einer mathematischen Gleichung vor allem Kriterien der formalen Logik entscheidend sind, muss eine politische Entscheidung sich beispielsweise auch an Gesetzen, Wahlversprechen oder gesellschaftlichen Werten messen lassen (Toulmin, 1996, S. 37).

Politische Entscheidungssituationen sind in der Regel „komplex", „vernetzt", „intransparent", „polytelisch" und „dialektisch" (Detjen et al., 2012, S. 43f.). Argumentationstheoretisch erfordern sie daher neben Kriterien formaler Logik (z.B. Relevanz der Annahmen für die Schlussfolgerung) insbesondere solche der sogenannten informalen Logik (z.B. Plausibilität, Wahrscheinlichkeiten).

Typisch für Argumentationen im Bereich der informalen Logik ist der Umstand, dass strittige Thesen (Schlussfolgerungen) nie abschließend für gültig/wahr befunden werden können. Die Akzeptanz der strittigen These erfolgt somit immer nur provisorisch, quasi auf Zeit, und kann mit Bekanntwerden neuer Fakten oder durch eine andere Gewichtung von Werten immer wieder verworfen werden („the completeness problem", Walton 1996, S. 38).

4. Mündliche Argumentationen

Der Gesprächskontext als formaler Rahmen einer mündlichen Argumentation bestimmt ganz grundlegend die Art der zulässigen Argumente und Argumentationsstrategien (Walton, 1989, S. 3f.). Während bei einer *„Verhandlung"*[2] (z.B. Koalitionsverhandlung, Tarifverhandlung) unterschiedliche Machtpositionen der Verhandelnden als „Argument" der Interessendurchsetzung dienen, wird im Rahmen einer *„Diskussion"* oder *„Debatte"* (z.B. Bundestagsdebatte, TV-Polit-Talkshow) vor allem sachlich-inhaltlich argumentiert. Bei der Verhandlung spielt auch das Abwägen von Werten eine vergleichsweise geringe Rolle. Die Qualität der Argumentation ist weniger entscheidend, die Glaubwürdigkeit von Forderungen, Zusagen oder Drohungen dagegen sehr (Walton, 1989, S. 175; Detjen et al., 2012, S. 82).

Beim *„Streitgespräch"* (z.B. TV-Polit-Talkshows, Kanzlerduell vor Bundestagswahlen) geht es im Gegensatz zu der Diskussion oder Debatte nicht um das Überzeugen des Gegenübers. Die Positionen stehen hier bereits im Vorhinein fest und werden selten revidiert. Ziel ist vielmehr das rhetorisch gekonnte Ausbooten des Gegenübers. Dabei sind auch rhetorisch starke, aber inhaltlich schwache Argumente durchaus das Mittel der Wahl (Walton & Krabbe, 1995, S. 78ff.).

Die Übergänge zwischen den unterschiedlichen Gesprächstypen sind in der Regel fließend (z.B. kann eine hitzig geführte Diskussion oder Debatte schnell Merkmale eines Streitgesprächs zeigen, ebd., S. 70).

---

2   Walton & Krabbe (1995) und Walton (1989) unterscheiden eine größere Zahl von Dialogformen („types of dialogue"). Hier wird zur Veranschaulichung der Implikationen unterschiedlicher Dialogformen auf die Art der zulässigen Argumente eine Auswahl getroffen. Zugunsten der besseren Lesbarkeit verwendet die Autorin Übersetzungen der englischen Originalbezeichnungen. Die Originalbezeichnungen lauten bei Walton: „negotiation" („Verhandlung"), „persuasion dialogue" („Diskussion", „Debatte"), „eristic dialogue" oder „quarrel" („Streitgespräch").

Charakteristisch für mündliche Argumentation ist neben der Kontextabhängigkeit vor allem, dass Schlussregeln und stützende Annahmen meist implizit bleiben und nur bei Dissens expliziert werden (Bayer, 2007, S. 148; Toulmin, 1996, S. 97). In politischen Diskussionen stecken die einer Argumentation zugrunde liegenden Werte (z.B. Sicherheit versus Freiheit oder unterschiedliche Konzeptionen von Gerechtigkeit) oft „versteckt" in den Schlussregeln (siehe Beispiele im Praxisteil, S. 82 und S. 87).

Im Rahmen einer überzeugungsorientierten Diskussion oder Debatte (und auch beim Streitgespräch) lassen sich nach Herrmann, Hoppmann, Stölzgen & Taraman (2011) auf analytischer Ebene verschiedene Argumentationsstrategien unterscheiden. Diese werden nun anhand der Beispielargumentation aus Abbildung 1 veranschaulicht:

(1) Gegenargument: Bei einem Gegenargument wird das Argument des Gegners *nicht direkt* angegriffen, sondern einfach durch ein anderes aufgewogen. Ein Gegenargument zeichnet sich dadurch aus, dass ein *neuer inhaltlicher Aspekt* in die Argumentation eingebracht wird. Dieser begründet eine andere Schlussfolgerung als die des Gegenübers. Ein Gegenargument zu der Argumentation in Abbildung 1 könnte lauten: „Die sinkende Wahlbeteiligung bei Bundestagswahlen beweist doch: So spannend kann Politik gar nicht sein."

(2) Einwand: Ein Einwand ist ein *direkter* Angriff auf das Argument des Gegners. Dessen Gültigkeit wird durch den Einwand *in Aussageform* zurückgewiesen. Die Kritik kann sich dabei a) auf die Annahme („Politische Entscheidungen betreffen jeden") oder b) auf die Schlussregel („Persönliche Betroffenheit bewirkt in der Regel großes Interesse") oder c) deren Stützung („Berufspendler interessieren sich besonders für die Benzinpreisentwicklung") beziehen. Ein Einwand zur Annahme könnte lauten: „Ich sehe nicht, dass mich politische Entscheidungen, vor allem auf internationaler Ebene, persönlich betreffen würden."

(3) Kritische Frage: Bei einer kritischen Frage werden – wie bei einem Einwand – systematische Schwachstellen von gegnerischen Argumenten aufgezeigt. Der Unterschied zum Einwand besteht allein in der Frage- statt Aussageform. Eine kritische Frage könnte lauten: „Was interessiert mich der Krümmungsgrad von Bananen?" (in Anspielung auf die entsprechende EU-Verordnung).

(4) (Vorübergehendes) Patt: Bei einem vorübergehenden Patt ziehen beide Gesprächspartner einvernehmlich ein Argument zurück. Dies kann explizit erfolgen oder implizit, indem ein inhaltlicher Streitpunkt nicht weiter aufgegriffen wird. Keiner der Diskutanten konnte den anderen von seinem Argument überzeugen. Zum Beispiel könnte der Vertreter der Argumentation aus Abbildung 1 sagen: „Gut, dann lassen wir die Frage nach der Betroffenheit Aller von politischen Entscheidungen einmal beiseite. Viel wichtiger ist ja auch, dass …".

Im Kapitel 5 stehen zentrale Klassifikationskriterien argumentativer Lehr-Lernsettings und Funktionen dieser zur Förderung der Politikkompetenz im Vordergrund.

5. Argumentative Lehr-Lernprozesse

Unter argumentativen Lehr-Lernprozessen wird im Folgenden der Erwerb oder die Entwicklung von Kompetenzen durch Argumentation im Politikunterricht verstanden. Der Fokus wird hier auf die Prozessebene der Argumentation, d.h. auf mündliche Argumentation gelegt, welche sich von der Argumentation als Produkt (z.B. ein begründetes, schriftliches Schülerurteil) abgrenzen lässt (Riemeier, von Aufschnaiter, Fleischhauer & Rogge 2012, S. 144).

(Mündliche) argumentative Lehr-Lernprozesse können sehr unterschiedlich gestaltet werden. Da sich Argumentieren als Schlüsselkompetenz keinem einzelnen Unterrichtsfach exklusiv zuordnen lässt und auch im Alltag oft unbewusst und automatisiert stattfindet, hilft zunächst eine Differenzierung aus der Deutschdidaktik weiter: Hiernach lässt sich unterscheiden zwischen der *Argumentations(ein)übung* und der *„learning by doing"-Argumentation*. Letztere erfolgt unbewusst und ohne klare Aufgabenstellung, während die Argumentations(ein)übung sich durch klare Regeln, einen vorgegeben Zeitrahmen sowie ein klares, eingrenzbares Thema auszeichnen (Grundler, 2006, S. 77; zitiert nach Krelle, 2010, S. 130).

In diesem Beitrag wird auf Argumentations(ein)übungen fokussiert, welche je nach Zielsetzung und Funktion im Unterricht sehr unterschiedlich gestaltet werden können:

Grad der Konfrontation: Bei konfrontativen Argumentationsaufgaben stehen wie bei der „Verhandlung" (siehe Kapitel vier) Interessendurchsetzung und/oder unflexible inhaltliche Positionen wie beim „Streitgespräch" (ebd.) im Vordergrund. Argumentationsaufgaben mit *Rollen- oder Perspektiveinnahme* sind oft konfrontativ angelegt, vor allem wenn die Rollen/Perspektiven weitgehend unvereinbar sind und wenig oder keine Teilnehmer/-innen mit intermediären Positionen vorgesehen sind. Inhaltliche Annäherungen sind nicht intendiert.

Typisch für sehr konfrontative Argumentationssequenzen ist das Beharren auf Standpunkten, was sich in kurzen Wortwechseln, bestehend aus Behauptungen und Gegenbehauptungen auszeichnet („disputational talk", dt.: Streitgespräch, Mercer 1996; Wegerif & Mercer 1996). In Bezug auf die Art der Argumente ist zu erwarten, dass bei weniger konfrontativen oder kooperativen Settings inhaltlich mehr auf Argumente der Gegenposition eingegangen wird, so dass hier mehr Einwände und kritische Fragen formuliert werden als in stark konfrontativen Diskussionen.

Bei kooperativen Argumentationsaufgaben stehen wie bei der „Diskussion" oder „Debatte" (siehe Kapitel vier) sachlich-inhaltliche Argumentationen im Vordergrund. Zugeständnisse oder inhaltliche Annäherungen sind zulässig und erwünscht. Als Beispiele können gelten: freie Diskussionen (ohne Rollenvorgabe) im Plenum oder in Kleingruppen-/Partnerarbeit sowie je nach konkreter Ausgestaltung auch Plan- oder Entscheidungsspiele. Diskussionen ohne Rollenvorgabe setzen die Existenz einer eigenen Meinung oft schon voraus.

Typisch für kooperative Gesprächssequenzen ist, dass die Schüler/-innen eine erkundend, erforschende Haltung einnehmen. Es wird auf Wortbeiträge der Mitschüler/-innen eingegangen, Aussagen werden begründet und hinterfragt. Typisch für diesen Gesprächstyp sind kritische Fragen, Einwände und das Formulieren alternativer Sichtweisen („exploratory talk", dt.: erkundendes Gespräch, Mercer 1996; Wegerif & Mercer 1996).

Daneben finden sich oft Mischformen mit kooperativen und konfrontativen Passagen, die Übergänge sind fließend. Möglich ist auch, dass einzelne Schüler/-innen vorwiegend einen dieser Gesprächstypen zeigen, während andere den Modus wechseln. Je nach Funktion und Ziel der Argumentationsaufgabe kann hier das Streitgespräch (Einüben von rhetorischen Fähigkeiten) oder auch das explorative Gespräch erwünscht sein (Urteilsbildung). Entscheidend ist, dass die Lehrperson bei klarer Aufgabenstellung einzelnen Schüler/-innen klar rückmelden kann, inwieweit kooperative/konfrontative Statements zielführend und im Sinne der Aufgabenstellung erwünscht sind oder eben nicht.

Ein und dieselbe Methode kann je nach konkreter didaktischer Ausgestaltung mehr oder weniger kooperativ/konfrontativ angelegt sein: Talkshow mit vorgegebenen, tendenziell unvereinbaren Positionen/Rollen der Talkgäste („Konfro-Talk") versus Talkshow mit flexibler Rollen-/Positionsvorgabe und Teilnahme von Gästen mit intermediärer Position („Thementalk"). Tendenziell steigt die Bedeutung rhetorischer Fähigkeiten und unfairer, überwältigender Argumente mit dem Grad der Konfrontativität, da allen Teilnehmern bewusst ist, dass inhaltliche Annäherung von Positionen nicht notwendig/beabsichtigt ist.

Grad der Strukturierung: Als Beispiel für ein stark strukturiertes argumentatives Lehr-Lernsetting kann die Amerikanische Debatte angeführt werden. Weniger strukturierte Formen sind etwa das freie Unterrichtsgespräch oder eine offene Diskussion. Bei starker Strukturierung sind die Rederechte meist klar verteilt (durch den formalen Ablauf oder durch den/die *Moderator/-in*), so dass Diskussionsteilnehmer/-innen nicht unmittelbar auf Redebeiträge Bezug nehmen können. Dies senkt einerseits den *Handlungsdruck* und kann bei entsprechender Instruktion dazu führen, dass die Diskussionsteilnehmer/-innen die längere Bedenkzeit nutzen, um Einwände, kritischen Fragen oder Gegenargumenten genauer zu durchdenken, als dies bei direkter Reaktion möglich wäre. Denkbar ist aber auch, dass gerade weil die Möglichkeit der direkten Reaktion fehlt, lediglich Argumente und Gegenargumente vorgetragen werden, weil der Abstand zwischen den Redebeiträgen einfach zu groß ist.

Art der Diskussionsfrage: In Abhängigkeit von der Diskussionsfrage sind unterschiedliche Urteilsarten gefordert. Detjen et al. (2012) unterscheiden nach a) Entscheidungsurteilen (Diskussionsfrage: „Soll in Deutschland eine gesetzliche Frauenquote in Unternehmensvorständen eingeführt werden?"), Werturteilen (Diskussionsfrage: „Hartz IV – ein Trauerspiel?") und Gestaltungsurteilen (Diskussionsfrage: „Wie kann Altersarmut in Deutschland verhindert werden?").

Partizipationsmöglichkeiten: Gemeint ist das Ausmaß, in dem sich Schüler/-innen an der Argumentationsaufgabe durch eigene Wortbeiträge beteiligen können. Der Grad an Partizipation geht in der Regel mit einem hohen Maß an *Öffentlichkeit* der Argumentationssequenz einher, d.h. viele Schüler/-innen beobachten die Diskussion, da sie nicht selbst beteiligt sind. Ein hoher Grad an Öffentlichkeit ist tendenziell eher mit Redeängsten auf Seiten der Schüler/-innen verbunden bzw. beteiligen sich in der Konsequenz freiwillig nur solche Schüler/-innen an der Diskussion, die eben solche nicht aufweisen.

Welche Dimensionen der Politikkompetenz lassen sich mit argumentativen Lehr-Lernprozessen fördern? Diese Frage wird im Folgenden auf Basis des gleichnamigen Modells von Detjen et al. (2012, vgl. Abb. 1 in Beitrag Weißeno, S. 16) erörtert.

Politische Handlungsfähigkeit: Das mündliche Argumentieren (Prozessdimension) steht „im Zentrum des kommunikativen politischen Handelns" (S. 83) und stellt somit eine Facette der politischen Handlungskompetenz dar. Die Autoren nennen eine Kombination rhetorisch-sprachlicher und fachspezifischer Bestandteile („richtige und fehlerhafte Äußerungen zu politischen Sachverhalten identifizieren") zur Beschreibung dieser Kompetenzdimension:

• Rhetorische Figuren anwenden. Ein epistemologisches Verständnis für Argumente zeigen, indem zum Beispiel Behauptungen, Begründungen und Schlussregeln unterschieden werden
• Argumente sachgerecht darstellen, indem sie kontext- und situationsbezogen erläutert, belegt und gegebenenfalls nachgewiesen werden
• Eine eigene Position/Einstellung/Wertorientierung mit dem Ziel begründet formulieren, andere zu überzeugen
• Argumente auf ein Drittes, einen Maßstab beziehen, dessen Geltungsanspruch weniger strittig oder unstrittig ist
• Richtige und fehlerhafte Äußerungen zu politischen Sachverhalten identifizieren und fehlerhafte Äußerungen korrigieren
• Eine eigene Argumentationsstrategie entwickeln (Operatoren: behaupten, feststellen, mitteilen, folgern, zustimmen, widersprechen usw.) (ebd. S. 81).

Neben der Förderung der Argumentationsfähigkeit im Sinne der politischen Handlungskompetenz erfüllen argumentative Lehr-Lernprozesse in Bezug auf die anderen Kompetenzdimensionen eine dienende Funktion:

Fachwissen: Im Politikunterricht werden argumentative Lehr-Lernsettings in der Regel zum Abschluss einer Unterrichtsreihe eingesetzt, wobei die Anwendung des zuvor erworbenen Fachwissens gefordert ist. Dahinter steht die Annahme, dass die Anwendungsqualität und Nachhaltigkeit von Fachwissen durch mündliche Argumentationen verbessert wird. In Bezug auf das Fachwissen übernehmen argumentative Aufgabenstellungen demnach vorrangig eine Ergebnissicherungs- und Transferfunktion. Voraussetzung für den hier postulierten Zusammenhang ist allerdings, dass die Schüler/-innen bei der Formulierung ihrer Argumente auch wirklich auf das zuvor erworbene Fachwissen zurückgreifen.

Faktoren wie Handlungsdruck und Öffentlichkeit der Argumentationssituation, besonders in Verbindung mit ggf. bestehenden Redeängsten führen möglicherweise dazu, dass Schüler/-innen eher auf Alltagswissen zurückgreifen als auf das erst kürzlich erworbene Fachwissen. Eine ausführliche Vorbereitung der Argumentationssequenz mit „Redekärtchen" für die anschließende Diskussion kann dem entgegenwirken. Dies wiederum kann den unerwünschten Nebeneffekt haben, dass die Schüler/-innen sich allzu sehr an ihre „Spickzettel" klammern und so nicht ausreichend auf die Argumente des Gegenübers achten.

In den Naturwissenschaftsdidaktiken gilt das Argumentieren zudem als „Strategie der Wissensgenerierung" (Kuhn, 2001; zitiert nach Riemeier, S. 142). Diese Funktion bezieht sich beispielsweise auf die argumentative Interpretation der Ergebnisse eines (Schüler/-innen-)Experiments oder die Rolle logisch korrekter Argumentation bei der Beurteilung konkurrierender Theorien zur Erklärung naturwissenschaftlicher Phänomene. Ebenfalls denkbar ist der Beweis einer mathematischen Gleichung durch formal korrekte Argumentation. Politische Problemlagen lassen sich jedoch selten anhand von Richtig-Falsch-Dichotomien beschreiben, so dass eine rein formale Argumentation hier nicht weiterhilft. Und politische Fachkonzepte wie „Demokratie", „Wahlen" oder „Gerechtigkeit" oder Theorien lassen sich – im Gegensatz zu solchen der Naturwissenschaften (z.B. „Schwerkraft") – nicht mit Hilfe von Experimenten im Unterricht be- bzw. widerlegen. Insofern ist festzustellen, dass diese Funktion von Argumentation für den Politikunterricht – wenn überhaupt – von sehr untergeordneter Bedeutung.

Politische Urteilsfähigkeit: Hier ist zunächst zwischen deskriptiven Urteilsarten (Feststellungs- und Erweiterungsurteil) und normativen Urteilsarten (Entscheidungs-, Wert- und Gestaltungsurteil) zu unterscheiden (siehe Abbildung zwei). Für deskriptive Urteile, die sich an dem Kriterium der Korrektheit bemessen lassen müssen, gelten die Ausführungen zum Fachwissen (siehe oben).

44 Dorothee Gronostay

Der Zweck mündlicher Argumentation im Politikunterricht besteht darin „einen oder mehrere Andere von einer Position zu überzeugen, d.h., sie dazu zu bringen, ihr Urteil zu ändern" (Detjen et al., 2012, S. 82). Im Rahmen von Pro-Contra-Debatten, Talkshows oder Rollenspielen werden die zu vertretene Wertmaßstäbe, Positionen oder Rollen aus didaktischen Überlegungen jedoch oft mehr oder weniger strikt vorgegeben. Dies stellt die Berücksichtigung multipler Perspektiven, eine gewissen Bandbreite an inhaltlichen Argumente und damit letztlich auch die Kontroversität der Diskussion/Debatte/Talkshow sicher, allerdings zu Lasten der Authentizität der vorgetragenen Positionen/Überzeugungen. Diese wiederum ist notwendige Voraussetzung dafür, dass der eigentliche Zweck des Argumentierens, nämlich das Überzeugen, überhaupt sinnvoll zur Geltung kommen kann. Insofern ist davon auszugehen, dass argumentative Lehr-Lernsettings der simulativen Art eher der Facette „Artikulieren" und damit der (kommunikativen) politischen Handlungskompetenz zuzuordnen sind. Inwieweit bei den Schüler/-innen durch diese Form der Simulation von Kontroversität die Urteilsbildung angeregt oder bestehende Urteile elaboriert werden können, ist bislang nicht belegt. Offen bleibt auch die Frage, inwieweit hier Unterschiede zwischen den an der jeweiligen Simulation beteiligten Schüler/-innen und den zuschauenden Schüler/-innen (mit/ohne Beobachtungsauftrag) besteht.

Politische Einstellung und Motivation: Die Facetten dieser Kompetenzdimension sind in besonders hohem Maße sozialisations- und persönlichkeitsbedingt. Eine direkte unterrichtliche Förderung dieser durch einzelne Methoden oder Inhalte kann angeregt, die Wirkung aber schwer überprüft werden. Im Rahmen freier Unterrichtsdiskussionen kann die Lehrperson die Schüler/-innen zur persönlichen Stellungnahme (und ggf. Rechtfertigung der eigenen Position) einladen. Hier erfüllen argumentativen Lehr-Lernsettings wichtige Funktionen hinsichtlich der Förderung sozialer Kompetenzen, der Fähigkeit zu Perspektivübernahme und kritischem Denken.

6. Argumentationskompetenzen fördern

Wie lassen sich Argumentationskompetenzen fördern? Vier Ansätze der schulischen Förderung fächerübergreifender Schlüsselkompetenzen – wie die des Argumentierens – lassen sich in Anlehnung an eine Typologie nach Ennis (1989, dt. Terminologie nach Jahn 2012) – unterscheiden:

1) *Der allgemeine Ansatz („general approach"):* Der allgemeine Ansatz sieht das Training der fächerübergreifenden Kompetenz in eigenständigen Kursen außerhalb des Fachunterrichts vor. Beispiel: Durchführung eines (fachspezifischen) Argumentationstrainings im Rahmen von Projektwochen oder Thementagen.

2) *Der integrativ-direkte Ansatz („infusion approach"):* Beim integrativ-direkten Ansatz erfolgt das Training innerhalb des regulären Fachunterrichts und anhand fachspezifischer Lerninhalte. Die Lernziele werden den Schüler/-innen gegenüber explizit genannt. Ein Beispiel zur Umsetzung des integrativ-direkten Ansatzes findet sich im Praxisteil dieses Bands (S. 79ff.).

3) *Der integrativ-indirekte Ansatz („inmersion approach"):* Wie der integrativ-direkte Ansatz, jedoch ohne Explikation der Lernziele. Den Schüler/-innen ist bei dieser Variante nicht bewusst, dass und welche Kompetenzen gefördert werden. Beispiel: Die Lehrperson fordert im Unterricht von einem/-r Schüler/-in Gründe zur Stützung einer strittigen These/Einwände zur Kritik einer strittigen These ein.

4) *Der kombinierte Ansatz („mixed approach"):* Hier wird der allgemeine Ansatz mit einem der integrativen Ansätze kombiniert. Zuerst erfolgt das fachunabhängige Training, anschließend die Implementation in den Fachunterricht (indirekt oder direkt). Beispiel: Durchführung eines (fachunspezifischen) Argumentationstrainings im Rahmen von Projektwochen oder Thementagen. Anschließend sollen die Schüler/-innen das Erlernte im Politikunterricht anwenden.

Welcher dieser vier Förderansätze zeigt auf Seiten der Schüler/-innen nun die besten Lernergebnisse? In einer Meta-Analyse (Abrami et al. 2008) wurde die Effektivität der verschiedenen Ansätze anhand der Daten von über hundert Studien zur Förderung kritischen Denkens und Argumentierens verglichen. Im Durchschnitt aller Studien ergab sich insgesamt eine moderat positive Wirkung der Trainings (S. 1102), was die generelle Förderbedürftigkeit und -fähigkeit der fächerübergreifenden Kompetenz aufzeigt. Die mit Abstand größten Effekte zeigten sich beim kombinierten Ansatz, gefolgt von Studien mit integrativ-direktem Ansatz (S. 1118). Deutlich geringere Wirkung verzeichnete der generelle Ansatz und nahezu wirkungslos blieb der integrativ-indirekte Ansatz (ebd.). Somit ist anzunehmen, dass für den Kompetenzerwerb insbesondere das Explizieren und Bewusstmachen der Kompetenzerwartungen gegenüber den Schüler/-innen von Bedeutung ist. Die Autoren geben zu Bedenken, dass die Meta-Analyse leider keine Aussagen über die Nachhaltigkeit der beobachteten Effekte zulässt (S. 1122).

7. Fazit und Ausblick

Die Implementation argumentativer Lehr-Lernsettings im Politikunterricht lässt sich a) mit dem Wesen des Politischen selbst, b) normativ unter Bezug auf den Beutelsbacher Konsens, c) mit der Prozessqualität von Unterricht und

d) outcome-orientiert begründen. Bei der outcome-orientierten Sicht kann zwischen dem Argumentieren als Kompetenzfacette (Selbstzweck) sowie der dienenden Funktion von Argumentation in Bezug auf andere Dimensionen der Politikkompetenz unterschieden werden. Die Förderung politischer Kompetenzen durch Argumentationsprozesse stellt jedoch eine didaktische Herausforderung dar und bedarf besonderer Klarheit über die intendierten Lernziele.

Geht man davon aus, dass Urteilsbildung nicht allein durch die Kumulation von Argumenten und Gegenargumenten erreicht werden kann, dann eignen sich stark konfrontative Argumentationssettings (z.B. Konfro-Talk, Rollenspiele mit stark polarisierenden Rollen) wenig zur Förderung der Urteilskompetenz. Sie dienen eher der Ausbildung politischer Handlungskompetenz (Facette: Artikulieren), dem Erwerb rhetorischer Fähigkeiten und ggf. der Ergebnissicherung durch Anwendung von Fachwissen. Es wird angenommen, dass kooperative und/oder wenig konfrontative Argumentationsprozesse (z.B. Diskussionen/Debatten ohne Rollenvorgabe, Plan- und Entscheidungsspiele) über die Anwendung vielfältigerer Argumentationsstrategien (Einwände, kritische Fragen) und eine authentische Überzeugungsabsicht eher die politische Urteilsfähigkeit fördern. Dies gilt es empirisch zu erforschen.

Literatur

Abrami, Philip C./Bernard, Robert M./Borokhovski, Evgueni/Wade, Anne/Surkes, Michael A./Tamim, Rana/Zhang, Dai (2008): Instructional interventions affecting critical thinking skills and dispositions: a stage 1 meta-analysis. In: Review of Educational Research 78, S. 1102-1134.

Bayer, Klaus (2007): Argument und Argumentation. Logische Grundlagen der Argumentationsanalyse. Göttingen: Vandenhoeck & Ruprecht.

Detjen, Joachim (2014): Reden können in der Demokratie. Studien- und Übungsbuch zur politischen Rhetorik. Bürgerbibliothek, Grundlagen rhetorischer Kommunikation (Bd. 1). Schwalbach/Ts.: Wochenschau Verlag.

Detjen, Joachim/Massing, Peter/Richter, Dagmar/Weißeno, Georg (2012): Politikkompetenz – ein Modell. Schwalbach/Ts.: Wochenschau.

Ennis, Robert H. (1989): Critical thinking and subject specificity. Clarification and needed research. In: Educational Researcher 18(3), S. 4-10.

Goll, Thomas (2012): Sprachhandeln: Verhandeln, Argumentieren, Überzeugen – eine vernachlässigte Kompetenz des Politikunterrichts? In: Weißeno, Georg & Buchstein, Hubertus (Hrsg.): Politisch Handeln. Modelle, Möglichkeiten, Kompetenzen. Bonn: BpB, S. 193-209.

Herrmann, Markus/Hoppmann, Michael/Stölzgen, Karsten/Taraman, Jasmin (2012): Schlüsselkompetenz Argumentation. Schöningh: UTB.

Jahn, Dirk (2012): Kritisches Denken fördern können – Entwicklung eines didaktischen Designs zur Qualifizierung pädagogischer Professionals. Diss. Erlangen-

Nürnberg: Friedrich-Alexander Universität/Rechts- und Wirtschaftswissenschaftliche Fakultät.

Krelle, Michael (2011): Mündliches Argumentieren als Aspekt von Unterrichtskommunikation. Kompetenzen und Leistungserwartungen im Fokus. In: Osnabrücker Beiträge zur Sprachtheorie 80, S. 125-144.

Massing, P. (1997). Kategorien des politischen Urteilens und Wege zur politischen Urteilsbildung. In: Massing, Peter/Weißeno, Georg (Hrsg.): Politische Urteilsbildung. Zentrale Aufgabe für den Politikunterricht. Schwalbach/Ts.: Wochenschau, S. 115-131.

Mercer, Neil (1996): The quality of talk in children's collaborative activity in the classroom. In: Learning and Instruction 6, S. 359–379.

Riemeier, Tanja/von Aufschnaiter, Claudia/Fleischhauer, Jan/Rogge, Christian (2012): Argumentationen von Schülern prozessbasiert analysieren: Vorgehen, Befunde und Implikationen. In: Zeitschrift für Didaktik der Naturwissenschaften 18, S. 141-180.

Toulmin, Stephen (1996): Der Gebrauch von Argumenten. Weinheim: Beltz.

Walton, Douglas N. (1996): Argumentation schemes for presumptive reasoning. Mahwah, NJ: Erlbaum Press.

Walton, Douglas N. (1989): Dialog theory for critical thinking. In: Argumentation 3, S. 169-184.

Walton, Douglas N./Krabbe, Erik C.W. (1995): Commitment in dialogue. Albany: Sunny Press.

Wegerif, Rupert & Mercer, Neil (1996): Computers and reasoning through talk in the classroom. In: Language and Education 10 (1), S. 47-64.

„Ich erkenne Fehlkonzepte meiner Schüler/-innen und kann sie beim Lernen unterstützen" – Diagnosekompetenz für den Politikunterricht modellieren

Dennis Neumann

1. Einleitung

Diagnosekompetenz ist ein in den letzten Jahren in der Lehrer/-innenexpertiseforschung und Bildungspolitik zunehmend intensiv diskutierter Begriff. Vor allem die Ergebnisse internationaler Schulleistungstest (PISA, TIMMS, LAU) haben den Fokus auf die diagnostischen Fähigkeiten von Lehrkräften gelenkt, denn die teilweise defizitären Leistungen deutscher Schüler/-innen wurden „auch mit der mangelnden diagnostischen Kompetenz von Lehrkräften in Zusammenhang gebracht" (Hesse & Latzko, 2011, S. 14).

Zahlreiche Beiträge zu diagnostischen Kompetenzen unterstreichen deren Bedeutung als Bestandteil professioneller Lehrer/-innenkompetenzen (u.a. Baumert & Kunter 2006; Brunner, Anders, Hachfeld & Krauss 2011; Hesse & Latzko 2011; Schrader 2008; Weinert 2000). Und auch in die obligatorischen Ordnungen und Vorgaben zur Lehrer/-innenbildung haben diagnostische Fähigkeiten als zu erwerbende Kompetenzen explizit Einzug gefunden (MSW NRW 2009, 2012; KMK 2013). Gleichzeitig besteht weiterhin Forschungsbedarf unter anderem hinsichtlich der systematischen Ausdifferenzierung (Schrader 2009) sowie der genauen Konzeptualisierung diagnostischer Kompetenz.

Im vorliegenden Beitrag soll diskutiert werden, welche Konsequenzen sich aus bisherigen Forschungen für die Politikdidaktik ergeben und welche fachspezifischen Beiträge sie zukünftig leisten kann. Hierzu sollen erste Ansätze zur Konzeptualisierung aufgezeigt werden.

2. Diagnostische Kompetenz – eine Arbeitsdefinition

2.1 Kompetenzbegriff

In Anlehnung an Weinert formuliert Rychen (2001) folgende Definition des Kompetenzbegriffs:

„[C]omplex action systems encompassing not only knowledge and skills, but also strategies and routines needed to apply knowledge and skills, as well as appropriate emotions und attitudes and the effective self-regulation of these competencies." (S. 8f.)

Kompetenz wird demnach als mehrdimensionales Konstrukt verstanden, welches Wissen, Können sowie emotionale und volitionale Aspekte umfasst. Diese Konzeptualisierung „ist damit auf Leistungsdispositionen ausgerichtet, seien sie kognitiver oder affektiv-motivationaler Art" (Blömeke, 2013, S. 11). Im übertragenen Sinne kann das Vorhandensein deklarativen Wissens (*knowing that*) daher zwar als eine notwendige, nicht jedoch als eine hinreichende Bedingung zur Ausbildung professioneller Kompetenzen betrachtet werden. Auch konditionales und prozedurales Wissen (*knowing how*) spielen hierbei eine Rolle (Tepner et. al 2012; Wilhelm & Nickolaus 2013).

Wird im Folgenden der Begriff *Handlungskompetenz* verwendet, soll ein dementsprechend weites Kompetenzkonzept sensu Weinert zum Ausdruck gebracht werden.

2.2 Modell professioneller Lehrer/-innenkompetenzen

Dem Strukturmodell professioneller Lehrer/-innenkompetenzen von COACTIV, welches auch Basis des Modells im Forschungsprogramm *Professionelle Kompetenz von Politiklehrer/-innen (PKP)* (Weißeno, Weschenfelder & Oberle 2013) ist, liegt die Annahme zugrunde, dass „professionelles Handeln aus dem Zusammenspiel von spezifischem, erfahrungsgesättigten deklarativen und prozeduralen Wissen (Kompetenzen im engeren Sinne: Wissen und Können); professionellen Werten, Überzeugungen, subjektiven Theorien, normativen Präferenzen und Zielen; motivationalen Orientierungen sowie Fähigkeiten der professionellen Selbstregulation [entsteht]" (Baumert & Kunter, 2011, S. 33 [Umformatierung v. Verf.]) (Abb. 1).

Abbildung 1: Strukturmodell professioneller Handlungskompetenz von Lehrkräften (nach Riese & Reinhold, 2010, S. 170).

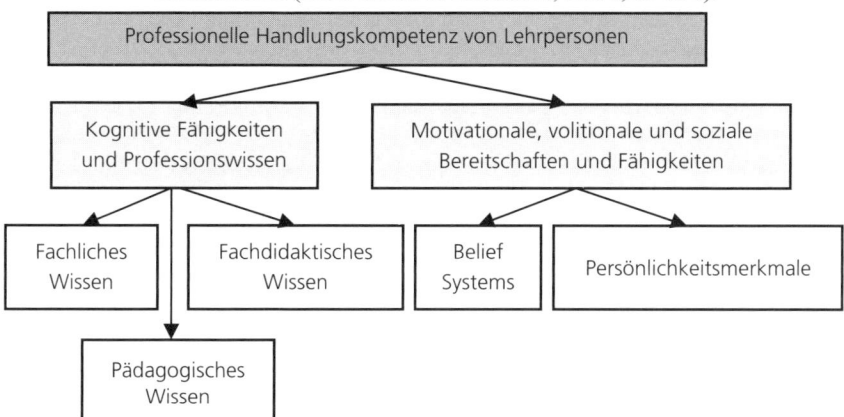

Dabei kann „[v]on den dargestellten Kategorien das Fachwissen (content knowledge, CK), das fachdidaktische Wissen (pedagogical content knowledge, PCK) und das pädgogische bzw. pädagogisch-psychologische Wissen (pedagogical knowledge, PK) als besonders relevant und hilfreich für eine lernförderliche Unterrichtsgestaltung" (Tepner et al., 2012, S. 8) angesehen werden. Die Konzeptualisierung des Professionswissens geht in Teilen zurück auf Shulman (1987), der das für das Professionswissen zentrale fachdidaktische Wissen so umschreibt:

„[P]edagogical content knowledge is of special interest because it identifies the distinctive bodies of knowledge for teaching. It represents the blending of content and pedagogy into an understanding of how particular topics, problems, or issues are organized, represented, and adapted to the diverse interests and abilities of learners, and presented for instruction." (S. 8)

Entsprechend erfordert „[d]ie Entwicklung von PCK [...] die Verschmelzung (*blending*) von fachlichem und pädagogischen Wissen im Unterrichten (*teaching*)" (Dijk & Kattmann, 2010, S. 9). In Anlehnung an Shulman (1987) wurde das fachdidaktische Wissen unterschiedlich reformuliert, wobei das Wissen über fachspezifische Vermittlungsstrategien und das Wissen über fachliche Schüler/-innen(fehl)vorstellungen als elementare Aspekte des fachdidaktischen Wissens aufgefasst werden können (Tepner et al. 2012).

2.3 Diagnostische Kompetenzen von Lehrkräften

In einer Definition des deutschen PISA-Konsortiums (2001) bezeichnet diagnostische Kompetenz die „Fähigkeit, den Kenntnisstand, die Verarbeitungs-

und Verstehensprozesse sowie die aktuellen Lernschwierigkeiten der Schülerinnen und Schüler korrekt einschätzen zu können" (S. 132). Diagnostische Urteile sollen daher zutreffend und genau sein. Dabei muss beachtet werden, dass es sich bei Lehrer/-innenurteilen häufig um informelle Diagnosen, also „implizite subjektive Urteile, Einschätzungen und Erwartungen [handelt], die eher beiläufig und unsystematisch im Rahmen des alltäglichen erzieherischen Handelns gewonnen werden" (Helmke, 2007, S. 92). Daher und aufgrund dessen, dass sich „diagnostische Expertise [...] bei Lehrkräften nicht allein aus der schulischen Alltagserfahrungen heraus[bildet]" (Hesse & Latzko 2011), bedarf es adäquater Vermittlungsansätze zur Förderung diagnostischer Kompetenzen bei Lehrkräften (ebd.).

Diagnosekompetenz umfasst jedoch nicht nur die Beurteilungsfähigkeit von Lehrkräften, sondern auch bereichsspezifische fachliche Kenntnisse sowie Wissen über typische Schüler/-innen(fehl)vorstellungen (Kromrey & Renfrow 1991). Hierbei wird die Wichtigkeit adäquaten *fachdidaktischen Wissens* in der Facette des „Wissens über fachbezogene Schülerkognitionen (,conceptions', ,preconceptions', ,misconceptions')" (Krauss et al., 2008, S. 228) deutlich. Oder wie es Shulman (1986) ausdrückt:

„The study of student misconceptions and their influence on subsequent learning has been among the most fertile topics for cognitive research. We are gathering an ever-growing body of knowledge about the misconceptions of students and about the instructional conditions necessary to overcome and transform those initial conceptions." (S. 9f.)

Den folgenden Ausführungen soll daher eine weite Definition diagnostischer Kompetenzen von Lehrkräften zugrunde liegen, die sich an dem von Helmke (2007) verwendeten Begriff der *diagnostischen Expertise* orientiert. Diese „beinhaltet sowohl *methodisches und prozedurales Wissen* (Verfügbarkeit von Methoden zur Einschätzung von Schülerleistungen und zur Selbstdiagnose) als auch *konzeptuelles Wissen* (Kenntnis von Urteilstendenzen und -fehlern) und darüber hinaus noch ein hohes Niveau an *zutreffender Orientiertheit*" (Helmke, 2007, S. 85). Aus Gründen der besseren Lesbarkeit wird in diesem Beitrag jedoch weiterhin der übliche Begriff der diagnostischen *Kompetenz* verwendet.

Hinsichtlich der Frage nach der konzeptuellen Verortung der diagnostischen Kompetenz von Lehrkräften gibt es unterschiedliche Auffassungen. Im COACTIV-Projekt stellt diagnostische Kompetenz eine eigene Kompetenzfacette des Kompetenzbereiches fachdidaktisches Wissen dar, welche unter anderem das Wissen über typische Schüler/-innenfehler und Lernschwierigkeiten umfasst (Krauss et al. 2008). In einer aktuelleren Veröffentlichung zur Diskussion der Ergebnisse des COACTIV-Programms wird eine bereichsübergreifende Zuordnung vorgenommen, da nach Auffassung von Brunner et al. (2011) „diagnostische Fähigkeiten von Mathematiklehrkräften eine Integration verschiedener Facetten aus zwei zentralen Kompetenzbereichen erfordern [...]: dem fachdidaktischen Wissen [...] und dem pädagogisch-psychologischen Wissen" (S. 216).

Riese und Reinhold (2010) betonen in ihrer Untersuchung zur Struktur professioneller Handlungskompetenz von angehenden Physiklehrkräften, dass auch ein adäquates fachliches Wissen von Lehrkräften im Rahmen diagnostischer Urteile eine zentrale Rolle spielt, was „durchaus einleuchtend [erscheint], da beispielsweise zur Diagnose fachlich unzutreffender Schülerkonzeptionen unmittelbar Fachwissen benötigt wird" (S. 182).

Es wird deutlich, dass die vorgestellten Konzeptualisierungen von diagnostischer Kompetenz gewissermaßen in unterschiedlicher Breite quer liegen zu den in Abbildung 1 dargestellten Kompetenzbereichen. In einem im Rahmen des Projekts *Professionsorientierte Lehrerbildung* (Aufschnaiter et al. 2009) entwickelten Modell zur diagnostischen Kompetenz von Lehramtsstudierenden werden daher

„die im Sinne der diagnostischen Kompetenz als ‚Kernkompetenzen' zu betrachtenden Facetten (wie das Wissen über diagnostische Verfahren, über fachspezifische kognitive Schülerkompetenzen, über Schülerlernprozesse und über typische Schüler(fehl-)vorstellungen) von denjenigen [...] [abgegrenzt], die eher Voraussetzung für die diagnostischen Kompetenz darstellen (wie angemessene fachmethodische Kenntnisse der Lehramtsstudierenden und ein angemessenes Fachwissen)" (Dübbelde, 2013, S. 19).

Diese grundlegenden Konzeptualisierungsansätze sollen im folgenden Kapitel als Grundlage für einen synthetisierten Modellvorschlag für die Diagnosekompetenz von Politiklehrkräften dienen.

3. Diagnostische Kompetenzen von Politiklehrkräften – Ansätze zur Modellierung

In Anlehnung an das Kompetenzmodell von COACTIV sowie den im vorherigen Kapitel vorgestellten Konzeptualisierungen der Diagnosekompetenz wird eine Zuordnung vorgeschlagen, die die Bereiche Fachwissen, fachdidaktisches Wissen und pädagogisches Wissen in ausgewählten Teilfacetten überspannt (Abb. 2).

Abbildung 2: Verortung der Diagnosekompetenz im Strukturmodell professioneller Handlungskompetenz von Lehrkräften (eigene Darstellung nach Brunner et al. 2011; Dübbelde 2013; Riese & Reinhold 2010).

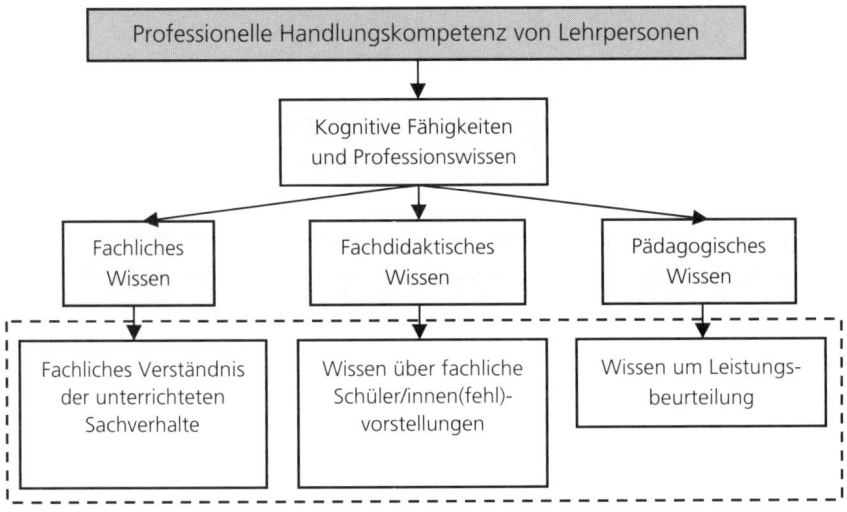

Aspekte diagnostischer Kompetenz

Das fachliche Verständnis der unterrichteten Sachverhalte in der Kompetenzfacette *Fachwissen* ist in dieser Modellierung Voraussetzung für diagnostische Kompetenz. Begründet werden kann dies durch die in verschiedenen Studien nachgewiesenen Zusammenhänge zwischen dem Fachwissen und anderen Kompetenzfacetten. So korreliert in der PKP-Studie das Fachwissen stark mit dem unterrichtsbezogenen fachdidaktischen Wissen (Weißeno et al. 2013). Riese und Reinhold (2010) stellen für die Handlungskompetenz von Physiklehrer/-innen fest, dass „das Fachwissen [...] direkt insbesondere auf die analysebezogenen Teile der Vignetten [lädt], was auf die direkte Relevanz des Fachwissens in Unterrichtsprozessen hindeutet" (S. 182). In ihrem Strukturmodell professioneller Kompetenzen von Mathematiklehrkräften fasst Lindmeier (2011) Fachwissen und fachdidaktisches Wissen aufgrund ihres deutlichen Bezuges zueinander zur Komponente des *Basic Knowledge (Basiswissen)* zusammen. Zur Feststellung, inwieweit das Fachwissen moderierende Effekte auf die anderen Kompetenzfacetten hat oder sogar als konstituierend für die diagnostische Kompetenz angesehen werden kann, wird dieses daher als Teilaspekt der Modellierung angeführt.

Im Zusammenhang mit dem Wissen über fachliche Schüler/-innen(fehl-)vorstellungen als Aspekt der Dimension des *fachdidaktischen Wissens* scheint in gängigen Konzeptualisierungen häufig eine aktionale Komponente auf. So betonen Schmelzing et al. (2010), dass „[a]us kognitionspsychologischer Perspektive […] fachdidaktisches Wissen nicht im umgangssprachlichen Sinne mit deklarativen [sic!] Wissen gleichgesetzt werden […] kann], sondern […] zu einem erheblichen Teil auch als prozedurales Wissen im Sinne von Können betrachtet werden [muss]" (S. 191f.). In die Kompetenzmodelle von Lindmeier (2011) sowie Riese und Reinhold (2010) werden diese aktions- bzw. handlungsbezogenen Kompetenzen daher explizit aufgenommen. Bezogen auf die diagnostische Kompetenz bedeutet dies, dass Lehrkräfte neben dem deklarativen Wissen über die fachliche Korrektheit einer Schüler/-innenaussage auch über Handlungswissen verfügen müssen, um auf die Äußerung fachdidaktisch adäquat reagieren zu können (ebd.). Solche angemessenen und wirksamen Strategien umfassen unter anderem das Generieren von Gegenbeispielen oder Maßnahmen der konstruktiven Unterstützung und kognitiven Aktivierung. Unterrichtsmethodische kognitive Aktivierung im Sinne Leuders' und Holzäpfels (2011) ist für die politische Bildung zum Beispiel durch einen am Kontroversitätsprinzip orientierten didaktischen Zugang mit entsprechend angewendeten Unterrichtsmethoden und Aufgabenstellungen denkbar.

Beim Wissen über die Leistungsbeurteilung als Aspekt des *pädagogischen Wissens* wird häufig auf das Konzept der Urteils- bzw. Diagnosegenauigkeit von Schrader und Helmke rekurriert (Dübbelde 2013). Hierbei wird die Übereinstimmung des diagnostischen Urteils der Lehrkraft in verschiedenen Komponenten mit dem Schüler/-innen- bzw. Aufgabenmerkmal gemessen (ebd.).

Ansätze zur Operationalisierung der unterschiedlichen Aspekte diagnostischer Kompetenz von Politiklehrkräften können aus Platzgründen hier nicht besprochen werden. Es sei jedoch auf die besondere Herausforderung der Erfassung handlungsnaher Aspekte diagnostischer Kompetenz hingewiesen. Lindmeier, Heinze und Reiss (2012) betonen, dass im Rahmen von Paper-Pencil-Test wesentliche Einflussfaktoren auf die Handlungskompetenz wie Unmittelbarkeit und Spontaneität nur bedingt abgebildet werden können. Der Einsatz von Videovignetten mit realem Unterrichtsgeschehen, auf die die Probanden unter Zeitdruck in natürlicher Sprache reagieren müssen (Computer-Based Assesment), erscheint dabei als besonders zielführendes Instrument zur Testung aktionsbezogener Kompetenzen (Lindmeier 2011).

4.   Forschungsstand und -desiderata der Politikdidaktik

Eine Modellierung der professionellen Kompetenz von Politiklehrkräften (Weißeno et al. 2013) liegt vor. Hinsichtlich des Auflösungsgrades der Kompetenzfacetten und der handlungsbezogenen Aspekte der professionellen Kompetenzen gibt es weiterhin Forschungsbedarf. Zudem existieren bislang nur wenige Ansätze, die sich explizit mit der diagnostischen Fähigkeit von Politiklehrkräften beschäftigen (z.B. Grammes & Welniak 2008), so dass insbesondere für diese Kompetenzfacette von einem Forschungsdesideratum gesprochen werden kann.

Im Folgenden sollen die besonderen Herausforderungen für die Politikdidaktik bei der Aufarbeitung spezifischer Desiderata kurz dargestellt werden.

Welches Fachwissen?

Bei der Konstruktion von Test-Items zum Fachwissen ist besonders bedeutsam, *welches Wissen* gemeint ist. In COACTIV wird das Fachwissen als „[t]ieferes Verständnis der Fachinhalte des Curriculums der Sekundarstufe" (Krauss et al., 2011, S. 142) verstanden (Ebene 3) und hinsichtlich seines Niveaus abgegrenzt vom basalen mathematischen Wissen, dem Wissen, das ein/-e durchschnittliche/-r Schüler/-in beherrscht (Ebenen 1 bzw. 2) und „reine[m] Universitätswissen, das vom Curriculum der Schule losgelöst ist" (ebd.).

Die auf Curricula basierende Konzeptualisierung des Fachwissens – sofern eine Anlehnung an COACTIV erfolgen soll – stellt für die Politikdidaktik eine in mehrfacher Hinsicht besondere Herausforderung dar. Schon hinsichtlich der Unterrichtsfächer und damit auch der Schulcurricula zeigt sich in Deutschland ein bekanntermaßen disparates Bild. Darüber hinaus gibt es innerhalb der politischen Bildung konkurrierende Modellierungsansätze des Fachwissens von Schüler/-innen (Arbeitsgruppe Fachdidaktik 2011; Weißeno, Detjen, Juchler, Massing & Richter 2010), die wiederum Auswirkungen darauf haben, was als professionelle Anforderungssituation für Lehrkräfte in der Dimension Fachwissen bezeichnet werden kann. Lehrer/-innen müssen beispielsweise in Nordrhein-Westfalen fachlich professionellen *sozialwissenschaftlich-integrativen* Unterricht leisten, so dass es angezeigt scheint, weitere Teilkonzeptmodelle (unter anderem für die Soziologie) auf Grundlage empirischer Forschungen zu validieren (Neumann 2013), um sie im Rahmen einer umfassenden Modellierung der Diagnosekompetenz von Lehrkräften der *Sozialwissenschaften* nutzen zu können.

Welche Schüler/-innen(fehl)vorstellungen?

Diese Fragestellung schließt an den vorherigen Abschnitt an, denn das unterschiedliche Konzeptverständnis innerhalb der Politikdidaktik zeigt sich auch im Streit darüber, was unter Schüler/-innen(fehl)vorstellungen verstanden werden kann (Goll 2013). Dies wiederum kann eine innerhalb der Politikdidaktik gemeinhin akzeptierte Modellierung dieses Aspektes diagnostischer Kompetenzen erschweren.

Soll zudem das Wissen von Politiklehrkräften über *typische* Schüler/-innen(fehl)vorstellungen getestet werden, kann dies nur anhand von empirischer gewonnener Erkenntnisse über die Vorstellungswelten von Schüler/-innen erfolgen. Als Beispiel für einen solchen systematischen Ansatz seien an dieser Stelle die Studie von Götzmann (2008) über politische Konzepte von Grundschüler/-innen zu Öffentlichkeit und von Hahn-Laudenberg et al. (2010) über Konzepte von 9./10.-Klässler zu Europäischen Prozessen und Institutionen an Realschulen und Gymnasien genannt. Es besteht jedoch weiterhin Forschungsbedarf.

5. Zusammenfassung

Um die für professionelles unterrichtliches Handeln wichtigen diagnostischen Fähigkeiten bei (angehenden) Lehrkräften in Studium, Vorbereitungsdienst und im Rahmen von Fortbildungen ausbilden zu können, bedarf es zunächst einer expliziten Vorstellung davon, was unter dieser Kompetenzfacette zu verstehen ist.

Der in diesem Beitrag vorgeschlagene Ansatz zur Modellierung diagnostischer Kompetenzen von (angehenden) Politiklehrkräften nimmt Bezug zu aktuellen Erkenntnissen der (politikdidaktischen) Lehrer/-innenexpertiseforschung. Hinsichtlich der Konzeptualisierung der unterschiedlichen Aspekte von Diagnosekompetenz sind sinnvolle Anknüpfungspunkte an bisherige Forschungen anderer Domänen erkennbar. Gleichzeitig zeigen sich fachliche Besonderheiten und Herausforderungen, die im Rahmen der Modellierung berücksichtigt werden müssen. Diese teilweise auf bestehenden Forschungsdesiderata und ungelösten Kontroversen der Politikdidaktik basierenden Problemstellungen zeigen die Notwendigkeit zukünftiger empirischer qualitativer und quantitativer Forschungen zur systematischen Schließung der skizzierten Forschungslücken.

Literatur

Aufschnaiter, Claudia von/Dübbelde, Gabi/Cappell, Janine/Ennemoser, Marco/Mayer, Jürgen/Stiensmeier-Pelster, Joachim et al. (2009): Professionsorientierte Lehrerbildung – Horizontale und vertikale Vernetzung fachdidaktischer, pädagogisch-psychologischer und schulpraktischer Ausbildungsanteile zum Aufbau diagnostischer Kompetenzen. In: SEMINAR, 15, 3, S. 77-86.

Arbeitsgruppe Fachdidaktik (2011): Konzepte der politischen Bildung. Eine Streit-
    schrift. Schwalbach/Ts.: Wochenschau.
Baumert, Jürgen & Kunter, Mareike (2006): Stichwort: Professionelle Kompetenz von
    Lehrkräften. In: Zeitschrift für Erziehungswissenschaft 9, 4, S. 469-520.
Baumert, Jürgen & Kunter, Mareike (2011): Das Kompetenzmodell von COACTIV.
    In: Kunter, M./Baumert, J./Blum, W./Klusmann, U./Krauss, S./Neubrand, M.
    (Hrsg.): Professionelle Kompetenz von Lehrkräften – Ergebnisse des For-
    schungsprogramms COACTIV. Münster: Waxmann, S. 29-53.
Blömeke, Sigrid (2013): Einleitung: Professionelle Kompetenzen im Studienverlauf.
    In: Blömeke, S./Bremerich-Vos, A./Kaiser, G./Nold, G./Haudeck, H./Keßler, J.-
    U. et al. (Hrsg.): Professionelle Kompetenzen im Studienverlauf – Weitere Er-
    gebnisse zur Deutsch-, Englisch- und Mathematiklehrerausbildung aus TEDS-
    LT. Münster: Waxmann, S. 7-24.
Brunner, Martin/Anders, Yvonne/Hachfeld, Axinja/Krauss, Stefan (2011): Diagnosti-
    sche Fähigkeiten von Mathematiklehrkräften. In: Kunter, M./Baumert, J./Blum,
    W./Klusmann, U./Krauss, S./Neubrand, M. (Hrsg.): Professionelle Kompetenz
    von Lehrkräften – Ergebnisse des Forschungsprogramms COACTIV. Münster:
    Waxmann, S. 215-234.
Deutsches PISA-Konsortium (2001): PISA 2000 – Basiskompetenzen von Schülerin-
    nen und Schülern im internationalen Vergleich. Opladen: Leske + Budrich.
Dijk, Esther M. van/Kattmann, Ulrich (2010): Evolution im Unterricht: Eine Studie
    über fachdidaktisches Wissen von Lehrerinnen und Lehrern. Zeitschrift für Di-
    daktik der Naturwissenschaften, 16, S. 7-21.
Dübbelde, Gabi (2013): Diagnostische Kompetenzen angehender Biologie-Lehrkräfte
    im Bereich der naturwissenschaftlichen Erkenntnisgewinnung. Diss. Universität
    Kassel.   https://kobra.bibliothek.uni-kassel.de/bitstream/urn:nbn:de:hebis:34-
    2013122044701/3/DissertationGabiDuebbelde.pdf [Zugriff: 14.04.2014].
Götzmann, Anke (2008): Politische Konzepte von Grundschüler/-innen zu Öffentlich-
    keit. In: Weißeno, G. (Hrsg.): Politikkompetenz. Was Unterricht zu leisten hat.
    Bonn: Bundeszentrale für politische Bildung, S. 293-308.
Goll, Thomas (2013): Konzeptverständnis in der Didaktik der Naturwissenschaften
    und der politischen Bildung – Befunde und Konsequenzen für die Lehrerbildung.
    In: Besand, A. (Hrsg.): Lehrer- und Schülerforschung in der politischen Bildung.
    Schwalbach/Ts.: Wochenschau, S. 133-152.
Grammes, Tilman/Welniak, Christian (2008): Diagnostische Kompetenz. Der Beitrag
    der kognitiven Entwicklungspsychologie – ein Überblick. In: Weißeno, G.
    (Hrsg.): Politikkompetenz – Was Unterricht zu leisten hat. Bonn: Bundeszentrale
    für politische Bildung, S. 331-346.
Hahn-Laudenberg, K./Weißeno, G./Eck, V. (2013). Computergestützte Analysen der
    offenen Schülerantworten zu den Lernaufgaben. In: Dies. (Hrsg): Wissen, Selbst-
    konzept und Fachinteresse. Ergebnisse einer Interventionsstudie zur Politikkom-
    petenz. Münster/New York: Waxmann, S. 104-117.
Helmke, Andreas (2007): Unterrichtsqualität – erfassen, bewerten, verbessern (6.
    Aufl.). Seelze: Kallmeyer.
Hesse, Ingrid/Latzko, Brigitte (2011): Diagnostik für Lehrkräfte (2. Aufl.). Opladen:
    Barbara Budrich.
Krauss, Stefan/Neubrand, Michael/Blum, Werner/Baumert, Jürgen/Brunner, Martin/
    Kunter, Mareike et al. (2008): Die Untersuchung des professionellen Wissens

deutscher Mathematik-Lehrerinnen und -Lehrer im Rahmen der COACTIV-Studie. Journal für Mathematik-Didaktik, 29, 3/4, S. 223-258.

Krauss, Stefan/Blum, Werner/Brunner, Martin/Neubrand, Michael/Baumert, Jürgen/ Kunter, Mareike et al. (2011): In: Kunter, M./Baumert, J./Blum, W./Klusmann, U./Krauss, S./Neubrand, M. (Hrsg.): Professionelle Kompetenz von Lehrkräften – Ergebnisse des Forschungsprogramms COACTIV. Münster: Waxmann, S. 135-161.

Kromrey, Jeffrey D./Renfrow, Donata D. (1991): Using Multiple Choice Examination Items to Measure Teachers' Content Specific Pedagogical Knowledge (Paper presented at the Annual Meeting of the Eastern Educational Research Association). Boston, Massachusetts. http://files.eric.ed.gov/fulltext/ED329594.pdf [Zugriff: 02.04.2014].

Leuders, Timo/Holzäpfel, Lars (2011): Kognitive Aktivierung im Mathematikunterricht. In: Unterrichtswissenschaft, 39, 3, S. 213-230.

Lindmeier, Anke M. (2011): Modeling and measuring knowledge and competencies of teachers. A threefold domain-specific structure model for mathematics. Münster: Waxmann.

Lindmeier, Anke M./Heinze, Aiso/Reiss, Kristina (2012): Eine Machbarkeitsstudie zur Operationalisierung aktionsbezogener Kompetenz von Mathematiklehrkräften mit videobasierten Maßen. Journal für Mathematik-Didaktik, 34, S. 99-119.

Ministerium für Schule und Weiterbildung des Landes Nordrhein-Westfalen [MSW NRW] (2009): Verordnung über den Zugang zum nordrhein-westfälischen Vorbereitungsdienst für Lehrämter an Schulen und Voraussetzungen bundesweiter Mobilität (Lehramtszugangsverordnung – LZV). Düsseldorf: MSW NRW.

Ministerium für Schule und Weiterbildung des Landes Nordrhein-Westfalen [MSW NRW] (2012): Gesetz über die Ausbildung für Lehrämter an öffentlichen Schulen (Lehrerausbildungsgesetz – LABG). Frechen: Ritterbach.

Neumann, Dennis (2013): Das soziologische Konzept „Identität" als Lerngegenstand sozialwissenschaftlichen Unterrichts. In: Manzel, S./Goll, T. (Hrsg.): Politik, Wirtschaft und Sozialkunde unterrichten. Nach didaktischen Prinzipien oder Konzepten oder ganz anders? (Schriften zur Didaktik der Sozialwissenschaften in Theorie und Unterrichtspraxis, Bd. 1). Opladen: Barbara Budrich, S. 105-116.

Riese, Josef/Reinhold, Peter (2010): Empirische Erkenntnisse zur Struktur professioneller Handlungskompetenz von angehenden Physiklehrkräften. In: Zeitschrift für Didaktik der Naturwissenschaften, 16, S. 167-187.

Rychen, Dominique Simone (2001): Introduction. In: Rychen, D. M./Salganik, L. H. (Hrsg.): Defining and selecting key competencies. Seattle: Hogrefe & Huber, S. 1-15.

Schmelzing, Stephan/Wüsten, Stefanie/Sandmann, Angela/Neuhaus, Birgit (2010): Fachdidaktisches Wissen und Reflektieren im Querschnitt der Biologielehrerbildung. In: Zeitschrift für Didaktik der Naturwissenschaften, 16, S. 189-207.

Schrader, Friedrich-Wilhelm (2001): Diagnostische Kompetenz von Eltern und Lehrern. In: Rost, D. H. (Hrsg.): Handwörterbuch Pädagogische Psychologie. Weinheim: Beltz, S. 91-96.

Schrader, Friedrich-Wilhelm (2008): Diagnoseleistungen und diagnostische Kompetenzen von Lehrkräften. In: Schneider, W./Hasselhorn, M. (Hrsg.): Handbuch der Pädagogischen Psychologie (Handbuch der Psychologie, Band 10). Göttingen: Hogrefe, S. 168-177.

Schrader, Friedrich-Wilhelm (2009): Anmerkungen zum Themenschwerpunkt Diagnostische Kompetenz von Lehrkräften. Zeitschrift für Pädagogische Psychologie, 23, 3-4, S. 237-245.

Sekretariat der Ständigen Konferenz der Kultusminister der Länder in der Bundesrepublik Deutschland [KMK] (2013): Ländergemeinsame inhaltliche Anforderungen für die Fachwissenschaften und die Fachdidaktiken in der Lehrerbildung. Berlin: KMK.

Shulman, Lee S. (1986): Those who understand: Knowledge growth in teaching. Educational Researcher, 15, 2, S. 4-14.

Shulman, Lee S. (1987): Knowledge and teaching: Foundations of the new reform. Havard Educational Review, 57, 1, S. 1-22.

Tepner, Oliver/Borowski, Andreas/Dollny, Sabrina/Fischer, Hans E./Jüttner, Melanie/ Kirschner, Sophie et al. (2012): Modell zur Entwicklung von Testitems zur Erfassung des Professionswissens von Lehrkräften in den Naturwissenschaften. In: Zeitschrift für Didaktik der Naturwissenschaften, 18, S. 7-28.

Weinert, Franz Emanuel (2000): Lehren und Lernen für die Zukunft – Ansprüche an das Lernen in der Schule. Pädagogische Nachrichten Rheinland-Pfalz, 2, S. 1-16.

Weißeno, Georg/Detjen, Joachim/Juchler, Ingo/Massing, Peter/Richter, Dagmar (2010): Konzepte der Politik. Ein Kompetenzmodell. Schwalbach/Ts.: Wochenschau.

Weißeno, Georg/Weschenfelder, Eva/Oberle, Monika (2013): Empirische Ergebnisse zur professionellen Kompetenz von Politiklehrer/-innen. In: Hufer, K.-P./Richter, D. (Hrsg.): Politische Bildung als Profession – Verständnisse und Forschungen (Perspektiven politische Bildung). Bonn: Bundeszentrale für politische Bildung, S. 187-202.

Wilhelm, Oliver/Nickolaus, Reinhold (2013): Was grenzt das Kompetenzkonzept von etablierten Kategorien wie Fähigkeit, Fertigkeit oder Intelligenz ab? In: Leutner, D./Klieme, E./Fleischer, J./Kuper, H. (Hrsg.): Kompetenzmodelle zur Erfassung individueller Lernergebnisse und zur Bilanzierung von Bildungsprozessen. Aktuelle Diskurse im DFG-Schwerpunktprogramm. Wiesbaden: Springer VS, S. 23-26.

II   Praxisbeiträge

Die Europäische Union vermitteln – Vorschläge für eine kompetenzorientierte EU-Didaktik

Monika Oberle und Christian Tatje

Kompetenzorientiertes Unterrichten ist kein grundsätzlich neuer Ansatz – „guter" Politikunterricht war schon immer darauf ausgerichtet, auf Politik bezogene Kenntnisse und Fähigkeiten der Schülerinnen und Schüler zu fördern. Und auch „Klassiker" der Politikdidaktik wie bspw. Wolfgang Hilligen (z.B. 1985) entwarfen bereits Kompetenzen als Ziel von Lernprozessen der Politischen Bildung. Heute erhebt fachdidaktische Kompetenzorientierung allerdings einen systematischeren Anspruch, sie ist an Theorien der pädagogischen Psychologie orientiert und nimmt verstärkt Bezug auf empirische Forschung. Die im Modell Detjen et al. (2012) entworfenen Kompetenzdimensionen der Urteilsfähigkeit, Handlungsfähigkeit, des konzeptuellen Fachwissens sowie der Motivation und Einstellungen können Lehrerkräften bei der Unterrichtsplanung, -durchführung und -reflexion als Orientierung dienen und helfen, ihren Unterricht systematisch kompetenzorientiert zu gestalten.

Kompetenzen umfassen in Anlehnung an Definitionen des Psychologen Weinert „Wissen und Können" (Klieme, 2004, S. 13). Nach Weinert ist „die Vermittlung von intelligentem Wissen [...] erstes und wichtigstes Bildungsziel" (2000, S. 8). Darunter versteht Weinert „ein wohlorganisiertes, disziplinär, interdisziplinär und lebenspraktisch vernetztes System von flexibel nutzbaren Fähigkeiten, Fertigkeiten, Kenntnissen und metakognitiven Kompetenzen [...]. Sowohl Voraussetzung als auch Resultat ist ein sachlogisch aufgebautes, systematisches, inhaltsbezogenes Lernen, das grundlegende Kenntnislücken, Verständnisdefizite und falsche Wissenselemente vermeidet." (Ebd., S. 9) Wissen und Kompetenz stehen sich somit nicht diametral gegenüber. Wissen stellt vielmehr einen essentiellen Teil von Kompetenz dar. Fachspezifische Kompetenzen bedürfen für ihren Erwerb, aber auch für ihre Anwendung fachlicher Kenntnisse. Die systematische Vermittlung eines konzeptuellen Grundwissens neben der kontinuierlichen Förderung der übrigen Kompetenzfacetten ist keine Aushöhlung der Kompetenzorientierung, sondern ihr inhärent.

Konzeptlernen ist allerdings nicht mit dem Auswendiglernen von Begriffen zu verwechseln – es geht vielmehr darum, „Grundideen, Regeln, Anwendungen, aber auch subjektive Erfahrungen, zu einem übergreifenden Begriff,

[das] Konzept" zu verbinden (Kunter & Trautwein, 2013, S. 40). Die Aneig-
nung von Fachsprache ist dabei ebenfalls relevant: Nur so sind Schüler/innen
anschlussfähig an den öffentlichen Diskurs, können bspw. Nachrichten, Talkshows oder Radioberichten kritisch folgen und öffentlich überzeugend argumentieren. Mit der Bestimmung der zu vermittelnden konzeptuellen Wis-
sensbestände werden die Inhalte des Politikunterrichts nicht durchdekliniert.
Der erwünschte Outcome von Unterricht kann jedoch von seinen Inhalten
nicht völlig abgekoppelt werden (vgl. Oberle, 2014).

Die Europäische Union im kompetenzorientierten Politikunterricht

EU-bezogene politische Kompetenzen gewinnen im Europäischen Mehrebenensystem auch für junge Bürger/innen in Deutschland zunehmend an Bedeutung. Schätzungen differieren, doch zumindest ein Drittel der auf Bundesebene getroffenen legislativen Entscheidungen gingen in den vergangenen
Jahren auf einen „europäischen Impuls" zurück (vgl. z.B. Töller, 2008; Kafsack, 2009). Die Vertiefungsdynamik der Europäischen Union (EU) (Holzinger et al., 2005) beinhaltet neben einer Ausweitung ihrer Kompetenzen auf
neue Politikfelder auch einen Wandel der politischen Entscheidungsmodi, der
zunehmend Mehrheitsentscheide im Ministerrat ermöglicht, dem direkt gewählten Europäischen Parlament wachsende Mitbestimmungsrechte zuer-
kennt und eine Beteiligung der Bevölkerung am europäischen Gesetzgebungsprozess zwar nicht über Referenda, jedoch über eine Europäische Ge-
setzesinitiative („Bürgerinitiative") vorsieht. Politik in Deutschland lässt sich
demnach ohne Einbeziehung der europäischen Ebene nicht angemessen begreifen; zugleich lässt sich Politik der Europäischen Union nicht alleine über
Mitbestimmung auf nationaler Ebene beeinflussen (vgl. Oberle & Forstmann,
2014a; Oberle, 2012)
       Es ist davon auszugehen, dass ein verständiger Zugang zum komplexen
Gebilde der Europäischen Union nicht einfach „nebenbei" erworben wird,
sondern intentionale politische Bildung verlangt. Tatsächlich sehen mittlerweile Bildungspläne aller Bundesländer eine Behandlung der EU im politischen Fachunterricht der Sekundarstufen allgemeinbildender Schulen vor
(Geyr et al., 2007). Bezieht man das oben vorgestellte Modell von Detjen et
al. (2012) auf den Inhaltsbereich Europäische Union, bedeutet dies, dass
Schüler/innen im Laufe ihrer Schulzeit ein konzeptuelles Verständnis der EU
aufbauen sowie auf EU-Politik bezogene Urteils- und Handlungsfähigkeiten
entwickeln sollten. Die im Unterricht zu fördernde Handlungsfähigkeit sind
dabei insbesondere kommunikativer Natur, beinhalten jedoch auch deklarati-
ves Wissen über politische Partizipationsmöglichkeiten, die Grenzen dieser
Möglichkeiten sowie Optionen und Wege ihrer Veränderung. Entscheidend
sind des Weiteren das Wecken bzw. die Förderung von Interesse an der EU
sowie die Unterstützung bei der Entwicklung eines positiven EU-bezogenen

internen Effektivitätsgefühls (subjektives Kompetenzgefühl/ *internal* effica-cy), also ein Zutrauen in die *eigenen* Fähigkeiten, am öffentlichen Diskurs über EU-Politik wirksam teilzunehmen und politische Einflussmöglichkeiten zu nutzen (zu Konstrukten der *political efficacy* vgl. Vetter, 1997). Weiterhin sind ein grundlegendes Vertrauen in die EU, ihre Institutionen und deren Responsivität (*external efficacy*) von Bedeutung, wobei betont werden muss, dass diese Zieldimension selbstverständlich von der „Vertrauenswürdigkeit" des Systems bzw. der Organe abhängt; zugleich ist für den Bestand repräsen-tativer Demokratien ein grundlegendes Vertrauen in deren politische Institu-tionen essenziell (vgl. Fuchs, Gabriel & Völkl, 2009).

Vorschläge für eine kompetenzorientierte EU-Didaktik

Im politischen Fachunterricht sollte die Europäische Union sowohl in einem thematischen „Block" behandelt, als auch als Unterrichtsprinzip (Quer-schnittsthema) bei anderen Unterrichtsgegenständen (z.B. Kommunalpolitik; Stichwort: Feinstaub-Richtlinie) berücksichtigt werden. So können sowohl fundierte, ausbaufähige Grundlagen für ein Verständnis der EU-Politik ver-mittelt, als auch ihr Mehrebenencharakter nachhaltig begreiflich gemacht werden (vgl. z.B. Weißeno, 2004). Für eine kompetenzorientierte Gestaltung der blockweisen EU-Behandlung bieten sich zahlreiche Zugänge und Metho-den an. Einzelne Unterrichtsmethoden beschränken sich dabei selten auf die Förderung einer bestimmten Teilkompetenz, jedoch sind methodische Ansät-ze für wechselnde Zielhorizonte oftmals unterschiedlich geeignet. Die fol-gende Zusammenstellung soll einer kompetenzorientierten EU-Didaktik Im-pulse sowie hilfreiche Bausteine liefern und folgt dabei einer Strukturierung entsprechend der zu fördernden Kompetenzdimensionen.

Von zentraler Bedeutung für die nachhaltige Vermittlung von EU-Kennt-nissen und relevanten Fähigkeiten ist das Interesse der Schüler/innen an Ge-genstand und Unterricht (Sach- und Fachinteresse). Förderlich ist hierfür ge-nerell eine abwechslungsreiche methodische Gestaltung des Unterrichts, wo-bei es nicht darum geht, ein „Maximum", sondern ein „Optimum" an Ange-botsvariation zu verwirklichen (Helmke, 2012, S. 265 f.). Der erfolgverspre-chendste Ansatz, das Interesse an der Auseinandersetzung mit der Europäi-sche Union zu wecken bzw. zu erhöhen, ist wohl, an reale Schülererfahrun-gen anzuknüpfen, den (durchaus bestehenden, aber den Lernenden oft nicht bewussten) Alltagsbezug der EU herzustellen und die Relevanz der EU-Politik für das eigene Leben erfahrbar bzw. einsichtig zu machen.

Themen-Einstiege

Die Schüler/innen sollen Gegenstände aus ihrem Alltag mitbringen, die etwas mit der Europäischen Union zu tun haben (denkbar sind z.B. Lebensmittel, Münzen, Urlaubsfotos). Diese werden im Unterricht vorgestellt, daran anknüpfend wird in die Europäische Union, ihre Ziele, Entwicklung und grundlegenden Kompetenzen eingeführt. Dieser Einstieg eignet sich insbesondere für untere Jahrgangsstufen. Alternativ könnten reale oder fiktive Biographien vorgestellt und die Relevanz der Europäischen Union für deren Leben herausgearbeitet werden. Wählt man hier Biographien aus anderen Ländern, Kulturen oder Altersschichten (z.B. Jugendliche aus Südeuropa; immigrierte Flüchtlinge; Zeitzeugen des II. Weltkriegs), fördert dieser Einstieg zudem die „interkulturelle Kompetenz" der Schüler/innen über den Vollzug der Perspektivenübernahme.

Ein weiterer Einstieg, der unmittelbar an die vorhandenen Schülervorstellungen anknüpft, ist der kurze dialogische Austausch in Partnerarbeit zu den Fragen „Was gefällt dir an der Europäischen Union?" bzw. „Was gefällt dir NICHT an der Europäischen Union?" Es darf jeweils eine Person reden, die andere zunächst nur zuhören. Auf ein Zeichen wechseln die Rede- und Zuhörerrolle. Für die zweite Frage wird das Verfahren wiederholt, sodass der Austausch insgesamt ca. 5 Minuten dauert. Anschließend fragt die Lehrkraft nach den Antworten auf die Fragen und notiert diese auf grünen (positiv) und roten (negativ) Karteikarten (erfahrungsgemäß eine überschaubare Anzahl, da die Gespräche ähnlich verlaufen; siehe Abb. 1). Die Karten werden auf ein Plakat geklebt und visualisiert, sodass diese ersten Schüleräußerungen und EU-Vorstellungen die gesamte weitere Unterrichtsreihe begleiten und jederzeit auf sie Bezug genommen werden kann. Sich widersprechende Karten (z.B. Euro grün & rot, offene Grenzen grün & rot) können hier kurz angesprochen und später vertiefend behandelt werden.

Abbildung 1: Visualisierung der Ergebnisse eines dialogischen Austauschs zu den Fragen: „Was gefällt dir (nicht) an der EU?"

Einstellungsförderung im Politikunterricht ist angesichts des Überwältigungsverbots und Kontroversitätsgebots des Beutelsbacher Konsenses (Wehling 1977; Oberle 2013) grundsätzlich problematisch. Allerdings rechtfertigt die im Grundgesetz verankerte Europaoffenheit (Art. 23 GG) eine grundsätzlich positive Bewertung der europäischen Integrationsbestrebungen und der Europäischen Union im Politikunterricht. Es macht Sinn, hier in Anlehnung an Easton (1965) zwischen generellen und performanz-bezogenen Einstellungen zu unterscheiden, bzw. zwischen einem „harten" und einem „weichen" Euroskeptizismus" (Weßels 2009; Knelangen 2012). Während eine „fundamentale" EU-Ablehnung heute nicht im Zielbereich der schulischen Bildung liegt, entspricht eine „konstruktive" EU-Skepsis (ebd.) durchaus den Zielen der politischen EU-Bildung (vgl. Oberle & Forstmann, 2014a). Hier sollte es das vorrangige Unterrichtsziel sein, den Schüler/innen ihre Einstellungen kognitiv zugänglich zu machen. Es gilt, Vorurteile in begründete, sachlich fundierte Urteile zu überführen (vgl. Massing, 2004). Weit verbreitete Vorurteile können von der Lehrkraft gezielt und mit entsprechendem Informationsmaterial angegangen werden. So trat die berüchtigte und mittlerweile abgeschaffte Gurkenverordnung auf expliziten Wunsch des (gerade

auch deutschen) Handels in Kraft (für Zeitungsartikel vgl. Linkliste unter
http://peb.uni-goettingen.de); der als exorbitant geltende EU-Haushalt lässt
sich im Vergleich zum Bundeshaushalt stark relativieren (2014: 143 Mrd.
EU-Budget bei ca. 500 Mio. Einwohner/innen gegenüber 300 Mrd. Bundeshaushalt bei ca. 80 Mio. Einwohner/innen); und das Bonmot Deutschland als
Zahlmeister Europas wirkt bei näherer Betrachtung überzogen, denn die deutschen Nettozahlungen an die EU beliefen sich 2012 auf lediglich 40 Cent pro
Tag (146 Euro im Jahr) pro Bundesbürger/in (vgl. http://www.bpb.de/
nachschlagen/zahlen-und-fakten/europa).

Eine sehr bewährte Methode, die Schüler/innen dort abzuholen „wo sie
stehen" und – als Ausgangspunkt für den weiteren Unterricht – Einblick in
ihre Vorkenntnisse, ggf. Fehlkonzepte und in der Gruppe vorherrschenden
politischen Ansichten zu gewinnen, ist die freie Diskussion an Plakaten zu
provokanten Thesen. Die Methode eignet sich insbesondere für emotional
aufgeladene Themen, zu denen bereits grundlegende Vorkenntnisse vorhan-
den sind. Die provokanten Aussagen werden mit einem Filzmarker jeweils
oben auf ein Plakat geschrieben mit ausreichend Platz für Kommentare darunter, und die Plakate im Raum verteilt aufgehängt. Die Sprüche werden laut
vorgelesen. Jedem Plakat wird zunächst ein/e Protokollant/in aus der Schü-
lergruppe zugeordnet, mit einem Stift „bewaffnet". Der Arbeitsauftrag an die
Schüler/innen lautet nun, sich zu einem Plakat ihrer Wahl zu begeben und die
jeweilige These mit Mitschüler/innen zu diskutieren, die sich ebenfalls gerade dort aufhalten – die Protokollant/innen halten jeweils in Stichworten fest,
was an ihrem Plakat diskutiert wird. Die Schüler/innen können nach Belieben
zu weiteren Plakaten wechseln (Dauer: ca. 20 Minuten). Für die Europäische
Union bieten sich grundlegende, provokante Thesen zur Finalität der Integration (Vertiefung, Erweiterung), aber auch zu Policy-Bereichen wie der Migrationspolitik (Stichwort: „Festung Europa") an. Hier beispielhaft vier Thesen, die sich für den Einstieg in das Thema *„Eurokrise"* in der Oberstufe
eignen: *„Die US-Immobilienblase war die Ursache für die Eurokrise!";*
„Deutschland hätte bei der DM bleiben sollen."; „Griechenland raus aus
dem Euro!"; „Die EU sollte die Haushaltspolitik ihrer Mitgliedsstaaten
vergemeinschaften." Die Stichworte auf den Plakaten können anschließend
kurz ausgewertet werden, lassen sich aber auch gezielt an passenden Stellen
in die weitere Behandlung des Themas integrieren – sodass die Lernenden
neue Informationen und Konzepte mit ihrem Vor- und Weltwissen in Verbindung bringen können. Hierdurch lässt sich ein nachhaltiger Konzeptaufbau bzw. -wandel befördern.

Fachlicher Konzeptaufbau

Anknüpfend an die ermittelten Vorkenntnisse, ggf. Fehlkonzepte bzw. Vorurteile, und Einstellungen der Schüler/innen kann nun ein fachlicher Input erfol-

gen. Grundsätzlich gilt, dass eine angemessene inhaltliche Strukturierung der (Unterrichts-)Einheit umso wichtiger ist, je komplexer sich der Lerngegenstand darstellt (vgl. Klieme & Rakoczy, 2008; Trautwein & Kunter, 2013). Dies ermöglicht den Schüler/innen eine sinnvolle Vernetzung der relevanten Kenntnisse sowie das spätere Einordnen neuer Informationen. Kompetenzorientiert und kognitiv aktivierend (vgl. ebd., S. 86ff.) Unterrichten heißt keineswegs, auf fachliche Inputs auch in Form von Lehrgang-Einheiten zu verzichten. Komprimiert, sinnvoll komplexitätsreduziert, mit Beispielen angereichert und ansprechend visualisiert ist ein Lehrervortrag bzw. Lehrgespräch ein wertvoller Unterrichtsbaustein (vgl. Gudjons, 2007). Dieser kann auch einen beispielhaften europäischen Politikzyklus (siehe Weißeno, 2004) zum Gegenstand haben. Für die Vermittlung der Europäischen Union zentral ist hier zum einen eine angemessene Komplexitätsreduktion mit Fokus auf Aspekten der EU, die von grundsätzlicher Natur und (einigermaßen) dauerhaft gültig sind. Dabei bieten sich zum einen wenige Wegmarken ihrer historischen Entwicklung inklusive deren treibender Motive an, zum anderen zentrale konkurrierende Leitbilder der Europäischen Integration (wie Bundesstaat, Staatenbund, regionale Integration, flexible Integration).

Ein weiterer, zentraler und dauerhafter Aspekt des politischen Systems Europäischen Union ist ihr doppelter Gleichheitsanspruch: eine Gleichheit der Menschen („*one man, one woman, one vote*"), aber auch eine Gleichheit der Mitgliedsstaaten. Sowohl in den unterschiedlichen Leitbildern, als auch im doppelten Gleichheitsanspruch spiegeln sich natürlich die zentralen Prinzipien der EU, Supranationalismus und Intergouvernementalismus, wider, die man als Fachbegriffe je nach unterrichteter Jahrgangsstufe ebenfalls einführen kann. Diese grundlegende Eigenschaft der EU erklärt auch zahlreiche Besonderheiten ihrer (vielfach kritisierten) institutionellen Architektur, wie die fallende Proportionalität der Stimmgewichte bei den Europawahlen oder die kompliziert anmutende Doppelte (ehem. Dreifache) Mehrheit bei Mehrheitsentscheiden im Ministerrat. Im Zentrum steht hier also nicht die Vermittlung von Faktenwissen, sondern von konzeptuellem Wissen, das ein vertieftes und auch nachhaltiges Verständnis ermöglicht, also ein „intelligentes" Wissen, das selbstverständlich auch Fakten beinhaltet.

Ergänzend können Schüler/innen sich neue Sachinformationen über eigene Einzel- oder Gruppenrecherchen z.B. im Rahmen eines internetbasierten WebQuests (vgl. Manzel, 2007) aneignen. Dies hat den Vorteil, dass Schüler/innen sich die Inhalte selbstständig und aktiv erschließen und dabei zusätzlich wichtige Methodenkompetenzen erwerben. Dafür eignen sich durchaus reguläre Internetseiten der Europäischen Union, bzw. für das Beispiel Eurokrise aufbereitete Informationen bspw. der Landeszentrale für politische Bildung Baden-Württemberg oder der Bundeszentrale für politische Bildung. Zu empfehlen ist hier – schon alleine zwecks motivierender methodischer Abwechslung (siehe oben) – auch der Einsatz von Video-Material, das während der Sichtung oder im Anschluss gemeinsam kritisch ausgewertet werden sollte. (Vgl. Linkliste des PEB-Projekts der Universität Göttingen auf http://peb.uni-goettingen.de)

Politische Urteils- und Handlungskompetenz

Nach Einstieg und fachlichem Input gilt es, die erlernten und mit dem Vorwissen verknüpften Konzepte selbstständig zu gebrauchen und für die eigene politische Urteilsfindung und das (kommunikative) Handeln einzusetzen. Zur Förderung der EU-bezogenen politischen Urteilskompetenz bieten sich zahlreiche bekannte Unterrichtsmethoden an: Ausgangspunkt kann ein Streitthema in einem europäischen Politikfeld sein (z.b. Datenschutz, Umwelt- oder Klimaschutz, Verbraucherschutz, Energiepolitik, Migrationspolitik), aber auch die institutionelle Gestalt der EU (Erweiterung z.B. mit Türkei-Beitritt; Maßnahmen zur Überwindung des Demokratiedefizits, z.B. europaweite Kandidat/innen bei Europawahlen). Als formaler Rahmen für die Auseinandersetzung mit der gewählten Streitfrage bieten sich Pro-Contra-Debatten (z.B. mit „Redeball"), ein Heißer Stuhl, eine formalisierte *American debate*, eine moderierte Talkshow an oder auch eine Stille Diskussion auf einem großen Plakat (Streitfrage in der Mitte notiert, Maßgabe: keine/r redet, jede/r kann nach Belieben schreibend anmerken und diskutieren; sehr geeignet auch als Abschluss einer thematischen Einheit).

Eine Variante zur Förderung der Urteilskompetenz ist die Positionierung im Raum: Die beiden Pole einer Streitfrage werden in zwei Raumecken visualisiert (z.B.: Pro Türkei-Beitritt; Contra Türkei-Beitritt), die Schüler/innen sollen sich nun an eine Position zwischen beiden Polen begeben, die ihrer persönlichen Meinung zu dieser Frage am ehesten entspricht. Einzelne Schüler/innen können nun zu den Gründen für ihre Aufstellung gefragt werden – Diskussionen können sich entspinnen, wobei es stets möglich ist, die eigene Position (sozusagen sichtbar „überzeugt") zu bewegen. Ein Vorteil ist, dass jede/r Schüler/in – auch die Stilleren – sich hier entscheiden muss und die eigene Ansicht kundtut. Auch dürfte sich die körperliche Bewegung als durchaus aufmerksamkeits- und lernförderlich erweisen.

Ähnlich im Verfahren, jedoch etwas komplexer, ist ein „Szenario-Rundgang" mit Positionierung. Hier werden vier bis fünf verschiedene Zukunftsszenarien auf A3-Plakate gedruckt und im Raum verteilt in gut lesbarer Höhe aufgehängt. Der Arbeitsauftrag an die Schüler/innen lautet nun, durch den Raum zu gehen und sich die Plakate durchzulesen. Verständnisprobleme können in dieser Phase unmittelbar geklärt werden – die Lehrkraft sollte sich also bereithalten und den Verständnisprozess ggf. konstruktiv, individuell oder gruppenbezogen, unterstützen. Anschließend werden die Lernenden zweimal aufgefordert, sich vor dem Plakat zu positionieren, dessen Szenario am ehesten ihrer Meinung entspricht. Die erste Frage lautet: „Was meinst du/meinen Sie, wo steht die EU im Jahr 2025?" Die zweite Frage lautet: „Was meinst du/meinen Sie, wo SOLLTE die EU im Jahr 2025 stehen?" Wie oben beschrieben können auch hier Begründungen der Positionierungen erfragt werden, sich Diskussionen in der Gruppe entspinnen und sichtbar Bewegung in die politischen Urteile der Schüler/innen kommen. Als Szenarien der generellen Zukunft der Europäischen Integration eignen sich noch immer die 2003 erstellten Entwürfe des Centrum für angewandte Politikforschung (vgl.   http://www.cap.uni-muenchen.de/publikationen/cap/szenarien.htm). Szenarien zur Lösung der Eurokrise, die das Team des Fachbereichs Politikdidaktik der Universität Göttingen auf Basis einer wissenschaftlichen Expertise zu möglichen „Euro-Szenarien" (PwC & HWWI, 2012) erstellt hat, sind in Abb. 2 abgebildet. Die Szenario-Rundgänge eignen sich besonders für den Abschluss der jeweiligen thematischen Einheit.

Abbildung 2: Unterrichtsmaterial für einen Euro-Szenario-Rundgang

DER EURO IN DER KRISE

Vier Szenarien zur Zukunft Europas

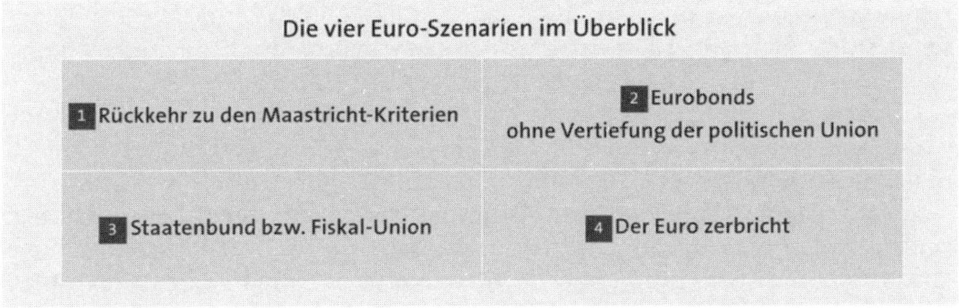

M 1: Zukunftsszenario I - Rückkehr zu den Maastricht-Kriterien

Nach einigen Jahren halten die meisten Euro-Mitglieder die Maastricht-Kriterien ein, die Defizite von höchstens drei Prozent der Wirtschaftsleistung und Schulden in Höhe von maximal 60 Prozent zulassen. Und wer noch nicht so weit ist, der befindet sich doch auf gutem Weg. Die Anleger haben wieder Vertrauen.

Doch der Marsch in eine stabile Welt ist hart. Die Krisenländer, allen voran Griechenland, Portugal, Spanien und Italien, müssen die von Europäischer Zentralbank (EZB) und Rettungsschirmen erkaufte Zeit nutzen, um wettbewerbsfähiger zu werden. Ihre Regierungen müssen Ausgaben kürzen und Steuern erhöhen. An Entlassungen im öffentlichen Dienst und Einschnitten ins soziale Netz führt da kein Weg vorbei.

Gesundschrumpfen heißt das Rezept – und das in einer Zeit, da die Arbeitslosigkeit wächst und die Wirtschaft schwächelt. Zur Linderung der

Schmerzen gibt es lediglich klar begrenzte Hilfen aus dem Rettungsfonds und ungenutztes EU-Fördergeld. Griechenland und Portugal müssen deshalb mit einer fortgesetzten Rezession rechnen, Spanien und Italien wohl auch.

Lohn der Anstrengung: Der Euro-Raum bleibt erhalten.

M 2: Zukunftsszenario II – Eurobonds

Eurobonds sind Zinspapiere, die gemeinsam von allen Euro-Staaten ausgegeben werden und für die alle gemeinsam haften. Hinter den Gemeinschaftsanleihen steht die Überlegung: Die Mitgliedsstaaten der Währungsunion haben keine Möglichkeit, eine autonome Geldpolitik zu betreiben. Den Krisenstaaten fehlt damit ein wichtiges Instrument: Sie können nicht wie die USA oder Großbritannien mit niedrigen Zinsen und günstigen Wechselkursen ihre Wettbewerbsfähigkeit verbessern.

Da dies bitter nötig ist, bleibt ihnen zum Ausgleich der ökonomischen Unterschiede im Vergleich zu starken Ländern wie Deutschland nur die Anpassung realwirtschaftlicher Größen. Also müssen Löhne, Preise und Beschäftigung von Griechenland bis Irland sinken – eine Politik, die auf Widerstand stößt. Deshalb, so meinen vor allem keynesianisch geprägte Ökonomen, ist ein Ausgleichsmechanismus nötig: Euro-Bonds.

Statt beschleunigter Reformen am Arbeitsmarkt und harscher Einschnitte in die Staatsetats, die kurzfristig das Elend vergrößern, soll die Last der Anpassung zeitlich gestreckt und über die Euro-Länder verteilt werden. Euro-Anleihen würden dabei helfen: Aufgrund der gemeinschaftlichen Haftung verschwinden die gewaltigen Zinsdifferenzen zwischen den einzelnen Staaten. Alle können sich zum gleichen Zins finanzieren, und die meisten Länder wesentlich günstiger als heute. Für Deutschland allerdings würde das Schuldenmachen teurer.

Das Problem dabei: Das Prinzip von Haftung und Risiko wird ausgehebelt, der Anreiz für solide Wirtschaftspolitik schwindet, wenn die Euro-Bonds nicht mit einer politischen Union einhergehen, die Verschuldungsgrenzen markiert, überwacht und durchsetzt.

M 3: Zukunftsszenario III – Europäischer Staatenbund

Weil die Folgen eines Staatsbankrotts einzelner Eurostaaten für die Eurozone immens sind, plädieren viele Politiker/innen für eine Ausweitung der politischen und fiskalischen Union. So soll ein Geburtsfehler des Euro korrigiert werden. Vor dem Hintergrund der ausufernden Staatsschulden in einigen Ländern der Währungsunion steigt der Druck zur Einführung von Eurobonds. Die Währungsunion ist ursprünglich als Schritt zu einer politischen und fiskalischen Union geplant gewesen.

Zwei mögliche Vorbilder sind die föderale Struktur der Bundesrepublik oder die Schweiz.

Das deutsche Modell: Die föderalen Einnahmen und Ausgaben sind weitgehend durch Bundesgesetze geregelt, die Handlungsmöglichkeiten auf kommunaler Ebene entsprechend geringer. Zum Ausgleich für den kleineren Spielraum steht der Bund für die Schulden der Länder ein und die Länder garantieren für die Kommunen. Als Konsequenz unterscheiden sich die Zinsen der einzelnen Bundesländer kaum voneinander.

Auf Euro-Ebene stehen dem allerdings 17 unterschiedliche Steuer- und Sozialsysteme in den einzelnen Staaten entgegen, die zusammengeführt werden müssten.

Das schweizerische Modell: Als „kleine Lösung" kommt eine Fiskalunion in Frage, denn die bedeutet nicht notwendigerweise eine Harmonisierung von Steuergesetzen. So sind die Schweizer Kantone in ihrer Finanzpolitik autonom, haften also selbst für ihre Schulden; im Fall einer Pleite kann der Bund Zwangsmaßnahmen im Kanton durchsetzen. Übertragen auf die Währungsunion heißt das: Wird ein Euro-Staat zahlungsunfähig, wird ihm - als Preis für die Rettung – die Finanzautonomie entzogen. An die Stelle nationaler Steuerbehörden treten Euro-Statthalter, die Steuern eintreiben und Sparbeschlüsse umsetzen.

M 4: Zukunftsszenario IV –Der Euro zerbricht – Beispiel Griechenland

Griechenland könnte die Drachme einführen, um weiter Renten, Gehälter und Sozialleistungen zahlen und ein neues Bankensystem aufbauen zu können. Vorstellbar ist auch, dass Euro-Staaten wie Griechenland unter dem innenpolitischen Druck aus der Währungsunion austreten wollen, um durch eine Abwertung ihrer neuen, dann eigenen Währung wieder wettbewerbs- und handlungsfähig zu werden. Die „Retter" könnten auch die Lust daran verlieren, den schlingernden Euro-Mitgliedern noch mehr Geld zu geben (Kernwährungsunion), oder die Währungsunion könnte völlig zerfallen.

Ökonomen wie Hans-Werner Sinn sehen in einem freiwilligen Austritt Griechenlands die ökonomisch beste Lösung für alle Beteiligten. Die Folgen für die europäische Wirtschaft und auch für die Staaten wären allerdings erheblich.

Die staatlichen Kredite an Griechenland müssten sofort abgeschrieben werden, die Garantien würden fällig, auf deutsche und andere europäische Steuerzahler kämen hohe Belastungen zu. Auch die Banken müssten weitere Abschreibungen auf Staatsanleihen vornehmen.

Das Ergebnis könnte katastrophal sein. Eine Kettenreaktion kann nicht ausgeschlossen werden, die auch andere Staaten mit sich reißt. *Dann bricht der Euro auseinander.*

Mini-Zukunftswerkstatt und Planspiele

Eine alternative Methode, bei welcher Schüler/innen selbst mögliche Zukunftsszenarien entwickeln, ist die Zukunftswerkstatt, bzw. für den Unterricht pragmatisch einsetzbar die „Mini-Zukunftswerkstatt", bei welcher die Problemfindungsphase bereits in vorangegangenen Unterrichtssequenzen erfolgt sein kann und man den Schritt der Realisierungsphase auslässt. Thematisch bieten sich hier auch polity-orientierte Fragestellungen an, bspw. eine Auseinandersetzung mit dem Demokratiedefizit der EU. Nach einem fachlichen Input diskutieren die Schüler/innen in Kleingruppen mögliche Lösungsansätze für diese Problematik, die sich entweder auf das „institutionelle Demokratiedefizit" richten können, oder aber auf das „strukturelle Demokratiedefizit" der EU (vgl. Holzinger et al., 2005). Die Auseinandersetzung mit Status Quo und möglichen Alternativen fördert nicht nur die Urteilskompetenz der Schüler/innen, sondern zugleich ein tieferes Verständnis der Situation und Probleme der Europäischen Union bzw. eine Verankerung und Vernetzung der vorhandenen Kenntnisse.

Die oben dargestellten Methoden zur Förderung der Urteilsfähigkeit fördern selbstverständlich auch die kommunikative Handlungskompetenz der Schüler/innen, die intensiv im Austausch stehen und sich im politischen Artikulieren und Argumentieren üben. Zum Verhandeln und zum (gemeinsamen) Entscheiden kommt es hier jedoch noch nicht. Diese Facetten der Handlungskompetenz werden insbesondere in politischen Simulationen, den Planspielen gefördert. Für die Vermittlung der Europäischen Union wurden zahlreiche Planspiele entwickelt, einige davon sind auch im alltäglichen Unterricht durchführbar. Planpolitik Gbr aus Berlin hat eine Variante eines Kurzplanspiels mit Anleitung, Hintergrundmaterial und Spieleunterlagen zum freien Gebrauch veröffentlicht (siehe http://www.bremer-europakoffer.de/bremer-europakoffer.html).

Planspiele bieten Schüler/innen die Möglichkeit, der oftmals als fern und unnahbar empfundenen EU auf einer persönlichen Ebene eigenaktiv zu begegnen und sich auf eine spielerische, aber zugleich strukturierte Art und Weise mit Institutionen und Policies der Europäischen Union auseinanderzusetzen (vgl. Dierßen & Rappenglück, 2014; Raiser & Warkalla, 2014; Hartmann & Weber, 2013). Im Rahmen von Planspielen erhalten die Schüler/innen einen Einblick in Struktur, Kompetenzen und Arbeitsweisen der europäischen Organe, lernen unterschiedliche Perspektiven und mögliche Strategien von europäischen Akteuren sowie Prozesse der Kompromissfindung kennen.

Das besondere Potential der Planspielmethode liegt in der Förderung der kommunikativen Handlungskompetenz der Lernenden, die sich hier nicht nur im Artikulieren und Argumentieren, sondern auch im Verhandeln und Entscheiden üben. Des Weiteren üben sie sich in demokratisch notwendigen Tugenden wie Teamfähigkeit und Kompromissbereitschaft. Wissen wird hier nicht nur reproduziert, sondern praktisch angewandt und mit neuen Inhalten verknüpft. Die Einarbeitung in die Materialien und ferner die Übernahme (fiktiver) Standpunkte einzelner Gremien/Akteure erfordert nicht nur die Anwendung bereits erlernter Inhalte, sondern auch deren Verknüpfung mit neuen Informationen und damit die Erweiterung konzeptuellen Wissens. Insbesondere wenn die zu spielenden Rollen frei gewählt werden können, steigt die Fähigkeit, politische Urteile in sämtlichen Facetten zu fällen: in Form von Sach- und Werturteilen, aber auch als Entscheidung- oder Gestaltungsurteil (vgl. Detjen et al., 2012, S. 52ff.).

Ergebnisse empirischer Studien attestieren der Planspielmethode vielfältige Lerneffekte, so die Förderung von Interesse an der EU, Förderung des objektiven und subjektiven Wissens oder auch der politischen Handlungsbereitschaft (vgl. Dierßen & Rappenglück 2014; Oberle & Forstmann 2014b). Darüber hinaus verringern Planspiele die empfundene Distanz zur Politik bzw. der Europäischen Union und fördern die Einsicht der Lernenden in die oftmals langwierigen Entscheidungsprozesse gerade auf europäischer Ebene. Eine ebenfalls erfolgversprechende Methode zur Überwindung der empfundenen Distanz gegenüber der EU und ihren Organen stellen politische Exkursionen dar, insbesondere wenn sie als exemplarische und multiperspektivische Vor-Ort-Seminare durchgeführt werden (vgl. Weber 2014).

Fazit

Kompetenzorientierter EU-Unterricht kann sich demnach durchaus bekannter und bewährter Ansätze und Methoden bedienen. Entscheidend ist, dass die Ziele des Unterrichts – also die Förderung bestimmter fachlicher und überfachlicher Schülerkompetenzen – bei Unterrichtsplanung und Methodenwahl stets bedacht werden. Selbstverständlich müssen und können nicht alle Kompetenzfacetten der Schüler/innen in jeder einzelnen Unterrichtsstunde im Fokus stehen, doch im Laufe eines Schuljahres – und möglichst auch einer Unterrichtsreihe z.B. zur EU – sollten sämtliche Kompetenzbereiche im Blick behalten und kontinuierlich, je nach Bedarf der Gruppe und der Individuen mit wechselnden Schwerpunkten, gefördert werden. Eine regelmäßige Reflexion dieser kompetenzorientierten Unterrichtsziele ermöglicht es, einen vordergründig vielseitigen, jedoch im Zielbereich einseitig ausgerichteten Unterricht zu erkennen und bei der Unterrichtsplanung rechtzeitig alternative Wege einzuschlagen.

Literatur

Detjen, J./Massing, P./Richter, D./Weißeno, G. (2012): Politikkompetenz – ein Modell. Wiesbaden: Springer VS.

Dierßen, B./Rappenglück, S. (2014): Europabezogene Planspiele und ihre Wirkungen. In: Oberle, M. (Hrsg.), Die Europäische Union erfolgreich vermitteln – Perspektiven der politischen EU-Bildung heute (im Erscheinen).

Easton, D. (1965): A System Analysis of Political Life. 2. Auflage. New York: John Wiley & Sons.

Fuchs, D./Gabriel, O./Völkl, K. (2002): Vertrauen in politische Institutionen und politische Unterstützung. Österreichische Zeitschrift für Politikwissenschaft, 31(4), 427-450.

Geyr, M. v./Hornung, L./Noack, F./Sonka, J./Stratenschulte, E. (2007): Die Europäische Dimension in den Lehrplänen der deutschen Bundesländer: Vergleichende Studie im Auftrag der Europäischen Kommission. http://ec.europa.eu/deutschland/ pdf/work_study/eab_studie.pdf [Zugriff: 10.12.2013]

Gudjons, H. (2007): Lehren durch Instruktion. Pädagogik, 59(11), 6-11.

Hartmann, J./Weber, I. (2013): Planspiel EU-Emissionshandel – zur Praxis außerschulischer politischer Bildungsprojekte an Schulen. In: Juchler, I. (Hrsg.), Projekte in der politischen Bildung. Bonn: Bundeszentrale für politische Bildung. S. 136-151.

Helmke, A. (2012): Unterrichtsqualität und Lehrerprofessionalität: Diagnose, Evaluation und Verbesserung des Unterrichts. Franz Emanuel Weinert gewidmet. 4. Auflage. Seelze-Velber: Klett – Kallmeyer.

Hilligen, W. (1985): Zur Didaktik des politischen Unterrichts. 4. Auflage. Opladen: Leske + Budrich.

Holzinger, K./Knill, C./Peters, D./Rittberger, B./Schimmelfennig, F./Wagner, W. (Hrsg.) (2005): Die Europäische Union. Theorien und Analysekonzepte. Paderborn: Schöningh.

Kafsack, H. (2009): EU macht weniger Gesetze als angenommen. Frankfurter Allgemeine Zeitung. 3.12.2009. http://www.faz.net/aktuell/wirtschaft/wirtschaftspolitik/neue-statistik-eu-macht-weniger-gesetze-als-angenommen-1858607.html [Zugriff: 10.05.2014].

Klieme, E. (2004): Was sind Kompetenzen und wie lassen sie sich messen? Pädagogik, 56(6), 10-13.

Klieme, E./Rakoczy, K. (2008): Empirische Unterrichtsforschung und Fachdidaktik. Outcome-orientierte Messung und Prozessqualität des Unterrichts. Zeitschrift für Pädagogik, 54 (2), 222-237.

Knelangen, W. (2012): Die EU und der Vertrauensverlust der Bürgerinnen und Bürger. Aus Politik und Zeitgeschichte, 62(4), 32-40.

Kunter, M./Trautwein, U. (2013): Psychologie des Unterrichts. Paderborn: Schöningh.

Manzel, S. (2007): Kompetenzzuwachs im Politikunterricht. Ergebnisse einer Interventionsstudie zum Kernkonzept Europa. Münster: Waxmann.

Massing, P. (2004): Bürgerleitbilder – Anknüpfungspunkte für eine europazentrierte Didaktik des Politikunterrichts. In: Weißeno, G. (Hrsg.), Europa verstehen lernen. Schwalbach/Ts.: Wochenschau. S. 144-157.

Oberle, M. (2012): Politisches Wissen über die Europäische Union. Subjektive und objektive Politikkenntnisse von Jugendlichen. Wiesbaden: Springer VS.

Oberle, M. (2013): Der Beutelsbacher Konsens – Richtschnur oder Hemmschuh politischer Bildung? politische bildung, 46(1), 156-161.

Oberle, M. (2014): Interview. In: Pohl, K. (Hrsg.): Neue Positionen der politischen Bildung. Ein Interviewbuch zur politischen Bildung (im Erscheinen).

Oberle, M./Forstmann J. (2014a): Förderung EU-bezogener Kompetenzen bei Schüler/innen – zum Einfluss des politischen Fachunterrichts. In: Oberle, M. (Hrsg.), Die Europäische Union erfolgreich vermitteln – Perspektiven der politischen EU-Bildung heute (im Erscheinen).

Oberle, M./Forstmann, J. (2014b): Planspiele zur Vermittlung der Europäischen Union? Ergebnisse einer Pilotstudie. politisches lernen (im Erscheinen).

PricewaterhouseCoopers (PwC)/Hamburgisches WeltWirtschaftsInstitut (HWWI) (Hrsg.) (2012): Der Euro in der Krise. Vier Szenarien zur Zukunft des Euro und wie sich Unternehmen darauf einstellen können. http://www.pwc.de/de_DE /de/offentliche-unternehmen/assets/pwc_studie_eurokrise_april_2012.pdf [Zugriff: 15.05.2014]

Raiser, S./Warkalla, B. (2014): Auf das Lernziel kommt es an – Planspiele in der europapolitischen Bildungsarbeit. In: Oberle, M. (Hrsg.), Die Europäische Union erfolgreich vermitteln – Perspektiven der politischen EU-Bildung heute (im Erscheinen).

Töller, A. (2008): Mythen und Methoden. Zur Messung der Europäisierung der Gesetzgebung des Deutschen Bundestages jenseits des 80-Prozent-Mythos. ZParl, 39(1), 3-18.

Vetter, A. (1997): Political Efficacy – Reliabilität und Validität, alte und neue Messmodelle im Vergleich. Wiesbaden: Deutscher Universitäts-Verlag.

Weber, I. (2014): Die Europäische Union „vor Ort" erleben. Politische Exkursionen nach Brüssel. In: M. Oberle (Hrsg.), Die Europäische Union erfolgreich vermitteln – Perspektiven der politischen EU-Bildung heute (im Erscheinen).

Wehling, H.-G. (1977): Konsens à la Beutelsbach? In: Schiele, S./Schneider, H. (Hrsg.), Das Konsensproblem in der politischen Bildung. Stuttgart: Klett. S. 173-184.

Weinert, F. E. (2000): Lehren und Lernen für die Zukunft – Ansprüche an das Lernen in der Schule. Pädagogische Nachrichten Rheinland-Pfalz, 2, 1-16.

Weißeno, G. (2004): Konturen einer europazentrierten Politikdidaktik – Europäische Zusammenhänge verstehen lernen. In: Weißeno, G. (Hrsg.), Europa verstehen lernen. Eine Aufgabe des Politikunterrichts. Bonn: Bundeszentrale für politische Bildung. S. 108-125.

Weßels, B. (2009): Spielarten des Euroskeptizismus. In: Decker, F./Höreth, M. (Hrsg.), Die Verfassung Europas: Perspektiven des Integrationsprojekts. Wiesbaden: VS Verlag. S. 50-68.

Starke und schwache Argumente – Eine Trainingseinheit für den kontroversen Politikunterricht

Dorothee Gronostay

Will man die argumentativen Fähigkeiten von Schüler/-innen im Fach Politik/Wirtschaft gezielt fördern, benötigt man neben klaren Kompetenzerwartungen vor allem konkrete Unterrichtsmaterialien. In aktuellen Schulbüchern finden sich – abgesehen von der klassischen Pro-Contra-Tabelle im Methodenteil – jedoch keine entsprechenden Materialien. Dieses Desiderat erstaunt umso mehr, wenn man bedenkt, welch zentrale Bedeutung dem Argumentieren in der Politik und natürlich auch bei der Thematisierung politischer Inhalte im Unterricht zukommt.

Die Trainingseinheit für den kontroversen Politikunterricht setzt hier an und zeigt konkrete Fördermöglichkeiten innerhalb des Fachunterrichts Politik/Wirtschaft auf. Zuvor erfolgt jedoch ein kleiner Überblick über existierende Materialien zur Thematik Argumentation und Debatte im (Politik-)Unterricht. Dabei wird kein Anspruch auf Vollständigkeit erhoben.

(Kleiner) Literaturüberblick: Eine Antwort auf das bestehende Defizit an fachspezifischen Übungsmaterialien geben die beiden erst kürzlich veröffentlichten Studien- und Übungsbücher von Detjen (2014) namens „Reden können in der Demokratie". Beide bieten theoretische Hintergründe und praktische Übungen und Tipps zum Thema, in Band eins mit Fokus auf Rhetorik und Argumentation, in Band zwei mit dem Schwerpunkt auf politischen Rede- und Kommunikationssituationen. Lohnend ist auch ein Blick in die Geographiedidaktik: In Budke (2012) beispielsweise finden sich viele methodische Anregungen für Argumentationsübungen im Unterricht, die sich überwiegend auch für den Politikunterricht nutzen lassen.

Weitet man den Rechercheradius ein wenig aus und bezieht auch fachunspezifische Materialien mit Fokus auf rhetorisch-kommunikativen Übungen mit ein, kann auf folgende Literaturauswahl verwiesen werden:

Klippert (2010) stellt in seinem „Kommunikationstraining" Übungsbausteine zur unterrichtlichen Förderung der allgemeinen Kommunikationsfähigkeit und zum Abbau von Redeängsten vor. Diese eigenen sich insbesondere als Aufwärmübungen für eine sich anschließende Diskussion. Zahlreiche Tipps und handlungsorientierte Übungen zur Vorbereitung der Durchführung einer Debatte findet der/die interessierte Lehrer/-in in dem Begleitheft des

Projekts „Jugend debattiert" von Hielscher, Kemmann & Wagner (2011).
Vorwiegend für die außerschulische Bildungsarbeit konzipierte Hilfen für
den effektiven Umgang mit diskriminierenden Alltagsäußerungen bietet das
„Argumentationstraining gegen Stammtischparolen" von Hufer (2008).[1]

Zur Trainingseinheit: Die Trainingseinheit für den kontroversen Politikunterricht beruht konzeptionell auf einem integrativ-direkten Ansatz. Das bedeutet, das Argumentationstraining erfolgt innerhalb des regulären Fachunterrichts („integrativ") anhand fachspezifischer Inhalte. Die Lernziele werden
den Schüler/-innen gegenüber explizit genannt („direkt"). Die anhand der
Trainingseinheit erworbenen Kompetenzen sollen in sich anschließenden Unterrichtsreihen idealerweise wieder aufgegriffen und geübt werden.

Das zweistündige Argumentationstraining wurde bislang in fünf Schul-
klassen der Jahrgangsstufe 8/9 an Gymnasien in Nordrhein-Westfalen erprobt, ist jedoch bei entsprechender Anpassung auch in anderen Jahrgangsstufen und Schulformen einsetzbar. Ziel ist die Förderung der Fähigkeit der
Schülerinnen und Schüler zur aktiven Bewertung und Kritik politischer Argumente. Folgende Teilkompetenzen werden unterschieden:

1) *Argumente identifizieren und analysieren:* Bestandteile eines Arguments
    kennen und identifizieren: Annahme, Schlussregel und Schlussfolgerung
    sowie implizite Annahmen identifizieren.

2) *Argumente kritisieren und bewerten (Argumentationsstrategien):* a) Gül-
    tigkeit der Schlussfolgerung bewerten (Strategie „Gegenargument"), b)
    Gültigkeit der Schlussregel bewerten (Strategien „Kritische Frage" und
    „Einwand") und c) Gültigkeit der Annahme bewerten (Strategien „Kriti-
    sche Frage" und „Einwand").

3) *Bereitschaft zu kritischer Argumentation:* a) Kontroversität als Merkmal
    politische Entscheidungen verstehen.

Die Lerneinheit dient in erster Linie der Vorbereitung von argumentativen
Lehr-Lernprozessen im Politikunterricht. Die Lerninhalte stellen somit keinen Selbstzweck dar, sondern sollen in anschließenden Politikunterrichts-
stunden auf konkrete Entscheidungsfragen (zum Beispiel: „Soll ein erneutes
NPD-Verbot versucht werden?) angewandt werden. Daher wird auf Fachbegriffe soweit wie möglich verzichtet (z.B. „Annahme" statt „Prämisse" oder
„Schlussfolgerung" statt „Konklusion"). Alle Argumentationsübungen und
Lehr-Lernmaterialien wurden so konzipiert, dass politische Themen und Argumente verwandt wurden. Es wird kein argumentationsspezifisches Wissen
vorausgesetzt (vgl. Gronostay 2013). Im Folgenden wird der Verlauf des Argumentationstrainings sowie das Material kurz vorgestellt:

---

1   Darüber hinaus existiert eine Vielzahl an Rhetorik- und Argumentationstrainings für das
    Selbststudium von Erwachsenen, z.B. Hermann, Hoppmann, Stölzgen & Taraman (2012).

Tabelle 1:   Verlaufsplan: Doppelstunde (90 Min.)

Phase (Zeit)	Unterrichtsschritte plus didaktischer Kommentar	Medien/ Material	Arbeits-/ Sozialform
Einstieg (10 Min.)	Einführung in das Thema der Unterrichtseinheit, Meinungsbild zu den Beispielkontroversen, Kontroversität als Merkmal politischer Entscheidungen	M1a, M1b, OHP	Plenum
Erarbeitung I + Sicherung I (15 Min.)	Kennenlernen und Identifizieren verschiedener Argumentationsstrategien	M2	EA*/PA*, Plenum
Erarbeitung II + Sicherung II (20 Min.)	Identifizieren von Bestandteilen eines Arguments, Anwenden verschiedener Argumentationsstrategien (schriftlich)	M3	EA*/PA*, Plenum
Erarbeitung III + Sicherung III (40 Min.)	Einüben der Argumentationsstrategien (mündlich), Stärke und Schwäche von Argumenten beurteilen	M4a, M4b	PA*, Plenum
Abschluss (5 Min.)	Klärung offener Fragen	--	Plenum

*EA=Einzelarbeit, PA=Partnerarbeit

Material M1: Der Einstieg in die Trainingseinheit zum Thema „Ist doch alles Ansichtssache? Starke und schwache Argumente in der Politik" erfolgt anhand mehrerer politischer Streitfragen (auf OHP-Folie), die zur spontanen Stellungnahme auffordern. Hierzu wird per Meinungsabfrage (z.B. Line-Up im Klassenraum) eine Positionierung der Schüler/-innen eingeholt. Im Vordergrund steht dabei nicht der Inhalt der jeweiligen Streitfrage. Anhand der unterschiedlichen Positionierungen der Schüler/-innen zu den politischen Streitfragen wird vielmehr die Kontroversität politischer Entscheidungen thematisiert. Auch wenn unterschiedliche Meinungen zu einem politischen Thema möglich und legitim sind, kommt es jeweils auf die Stärke der Begründung der eigenen Position an. Diese wiederum kann, zum Beispiel im Rahmen einer Diskussion, argumentativ herausgefordert werden.

Material M2: Welche Argumentationsstrategien können in einer Diskussion angewandt werden, um die eigene Position zu stärken bzw. die Gegenposition zu schwächen? Das Material M2 erklärt zunächst die Unterschiede zwischen vier Argumentationsstrategien (Gegenargument, Einwand, kritische Frage und vorübergehendes Patt) und veranschaulicht diese an konkreten Beispielen.

Die verschiedenen Strategien werden in Alltagsdiskussionen unbewusst und intuitiv eingesetzt. In fachlichen Diskussionen im Unterricht wird oft eine gewisse Einseitigkeit in Bezug auf die Anwendung der Strategien konstatiert. So berichtet eine Schülerin rückblickend in Bezug auf eine Diskussion im Politikunterricht „[…] es wurde auf Argumente überhaupt nicht richtig eingegangen, sondern gleich irgendwie noch einmal das Gegenargument dazu dargestellt" (Massing, 2007, S. 176).

Für eine konstruktive Diskussion ist es wichtig, dass nicht nur Gegenargumente mit neuen inhaltlichen Aspekten aneinandergereiht werden, sondern die Diskussionspartner auch auf Argumente der Gegenposition eingehen. Nur so kann eine vertiefte Auseinandersetzung mit den (Fach-)Inhalten der Diskussion erfolgen und die Stärke oder Schwäche von einzelnen Argumenten offenbar werden. Bisherige Erfahrungen mit den vorliegenden Unterrichtsmaterialien zeigen, dass Schüler/-innen vor Allem Schwierigkeiten haben, den Unterschied zwischen Gegenargument und Einwand zu verstehen. Der Hauptunterschied besteht darin, dass der Einwand das vorgebrachte Argument des Diskussionspartners direkt hinterfragt, während ein Gegenargument durch Einbringen eines inhaltlich neuen Aspekts eine indirekte Kritik darstellt. Eine reine Aneinanderreihung von Gegenargumenten kann somit keine Diskussion voranbringen, da der Maßstab zum Urteilen fehlt und die Stärke/Schwäche der jeweils vorgebrachten Argumente nicht herausgefordert wird.

Material M3: Anhand von Material M3 lernen die Schüler/-innen die verschiedenen Bestandteile eines Arguments – Annahme(n), Schlussregel und Schlussfolgerung – zu identifizieren. Leicht fällt in der Regel die Identifikation der Annahme(n), während die Schlussregel, als spezielle Form der Annahme oft Probleme bereitet (Erläuterung siehe Theorieteil des Bands, S. 37). Die Schlussregel bleibt in einer Argumentation meist implizit und wird daher oft nicht angemessen berücksichtigt. Insbesondere für politische Diskussionen ist sie jedoch oft von besonderer Relevanz, weil sie nicht selten Werte beinhaltet, deren Explikation besonderes Lernpotential biete, z.B. im Falle von Wertkonflikten (z.B. Gleichheit versus Freiheit, Leistungs- versus Bedarfsgerechtigkeit). Dabei lassen sich bestimmte Typen von Schlussregeln unterscheiden, die sehr oft verwandt werden und immer auf die gleiche Art und Weise hinterfragt/kritisiert werden können. In höheren Jahrgangsstufen bietet sich hier auch der Verweis auf bestimmte Argumentationsschemata an (siehe Tab. 2).

Tabelle 2: Argumentationsschemata (Mittelsten-Scheid, 2009, S. 182; in Anlehnung an Jiménez-Aleixandre 1999)

Typ	Beschreibung
Induktion	Suche nach Mustern und Regelmäßigkeiten
Deduktion	Anwendung von Regeln/Gesetzen auf Einzelfälle
Kausalität	Ursache-Wirkungs-Beziehung
Definition	Bestimmung von Wesen und Funktion eines Konstrukts
Klassifikation	Kriteriengeleitetes Gruppieren von Objekten
Bezugnahme auf…	Analogien, Beispiele, Eigenschaften, Autorität
Konsistenz mit…	Anderen Wissensquellen, Erfahrung

Material M4: Das Material M4 dient der Ergebnissicherung und praktischen Einübung der verschiedenen Argumentationsstrategien. Hierzu arbeiten die Schüler/-innen in Partnerarbeit und argumentieren anhand der Beispieldiskussion zur Ausweitung der Videoüberwachung auf öffentlichen Plätzen. Die Beispielargumente lassen sich in höheren Jahrgangsstufen auch hinsichtlich der Argumentationsschemata (Tabelle 2) analysieren. Einen Sonderfall stellt das zweite Pro-Argument dar: es suggeriert, dass nur Kriminelle Einwände gegen die Ausweitung der Videoüberwachung haben können und ist somit ein rhetorisch starkes, inhaltlich aber sehr schwaches Argument der Form „Bezugnahme auf Eigenschaften (der Person)" oder auch ein sogenanntes ad-hominem-Argument (Argument gegen die Person).

Insgesamt bleibt festzustellen: Die Argumentationskompetenzen der Schüler/-innen werden mit Hilfe der Trainingseinheit in kurzer Zeit gezielt gefördert. In argumentativen Lehr-Lernsettings der sich anschließenden Unterrichtsreihen können die Schüler/-innen auf gelernte Inhalte des Trainings zurückgreifen, so dass das Thema „Starke und schwache Argumente" immer präsent bleibt.

Literatur

Budke, Alexandra (2012). Diercke – Kommunikation und Argumentation. Braunschweig: Westermann.

Detjen, Joachim (2014). Reden können in der Demokratie. Studien- und Übungsbuch zur politischen Rhetorik. Bürgerbibliothek, Grundlagen rhetorischer Kommunikation (Bd. 1). Schwalbach/Ts.: Wochenschau Verlag.

Detjen, Joachim (2014). Reden können in der Demokratie. Studien- und Übungsbuch zur politischen Rhetorik. Bürgerbibliothek, Politische Rede- und Kommunikationssituationen (Bd. 2). Schwalbach/Ts.: Wochenschau Verlag.

Gronostay, Dorothee (2013). „Argumentieren". Vortrag im Rahmen der Fortbildungs-
    reihe „Update Politische Bildung" am 15. November 2013, Ruhr Campus Acade-
    my/Universität Duisburg-Essen.
Herrmann, Markus/Hoppmann, Michael/Stölzgen, Karsten/ Taraman, Jasmin (2012).
    Schlüsselkompetenz Argumentation. Schöningh: UTB.
Hielscher, Frank/Kemmann, Ansgar/Wagner, Tim (2011): Debattieren unterrichten.
    Seelze: Friedrich Verlag.
Hufer, Klaus-Peter (2008). Argumentationstraining gegen Stammtischparolen. Mate-
    rialien und Anleitungen für Bildungsarbeit und Selbstlernen. Schwalbach/Ts.:
    Wochenschau.
Klippert, Heinz (2010). Kommunikationstraining. Übungsbausteine für den Unter-
    richt. Weinheim: Beltz.
Massing, Peter (2007). Planspiele und Entscheidungsspiele. In: Bundeszentrale für
    politische Bildung (Hrsg): Methodentraining I für den Politikunterricht.
    Schwalbach/Ts.: Wochenschau, S. 163-194.
Mittelsten Scheid, Nicola (2009). Argumentation aus metakognitiver Perspektive –
    Leitlinien für Maßnahmen zur Professionsentwicklung naturwissenschaftlicher
    Lehrkräfte. *Zeitschrift für Didaktik der Naturwissenschaften*, 15, 173-193.

Ist doch alles Ansichtssache?
Starke und schwache Argumente in der Politik

M 1 Politische Entscheidungsfragen (OHP-Folie)

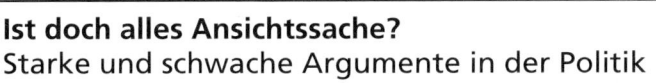

Sollen Jugendliche schon mit sechzehn Jahren an Bundestagswahlen teilnehmen dürfen?

Soll das Rauchverbot in Gaststätten, Bars und Cafés wieder abgeschafft werden?

Sollen homosexuelle Paare Kinder adoptieren dürfen?

Sollen Höchstgrenzen für Managergehälter gesetzlich festgelegt werden?

Soll die Türkei der Europäischen Union beitreten?

Soll die Videoüberwachung von öffentlichen Plätzen (z.B. U-Bahn-Stationen) ausgeweitet werden?

M 2 Argumentationsstrategien

In einer Diskussion werden Pro- und Kontra-Argumente zu einer politischen Entscheidungsfrage vorgebracht und gegeneinander abgewogen. Die Diskutanten vertreten unterschiedliche Meinungen und versuchen sich gegenseitig zu überzeugen. Sie sind aber auch offen für die Argumente der Anderen. Beim Diskutieren stehen ihnen vier Argumentationsstrategien zur Verfügung:

1) **Gegenargument:** Bei einem Gegenargument wird das Argument des Diskussionspartners nicht direkt kritisiert, sondern einfach durch ein anderes aufgewogen.
2) **Einwand:** Ein Einwand ist eine direkte Kritik an dem Argument des Diskussionspartners. Dessen Gültigkeit wird durch den Einwand (in Aussageform) zurückgewiesen.
3) **Kritische Frage:** Eine kritische Frage ist eine direkte Kritik an dem Argument des Diskussionspartners. Hier werden systematische Schwachstellen von Argumenten in Frageform aufgezeigt.
4) **(Vorübergehendes) Patt:** Bei einem vorübergehenden Patt ziehen die Diskussionspartner einvernehmlich ein Argument zurück.

Aufgaben und Fragen zu M2

> **1)** Im Folgenden findest du vier Diskussionsbeispiele zum Thema Rauch-
> verbot in öffentlichen Räumen (z.B. Gaststätten, Cafés, Diskotheken).
> Notiere jeweils, welche Argumentationsstrategie angewendet wird.
> **2)** Überlege dir zu jeder der vier Argumentationsstrategien ein Beispiel
> zu einem Thema deiner Wahl.
> **3)** Kann das Abwägen von Argumenten in einer Diskussion gelingen,
> wenn die Diskutanten nur die Strategie „Gegenargumente" anwen-
> den? Begründe deine Meinung.

Beispiel 1:

A: „Durch das Rauchverbot in Gaststätten kommen weniger Gäste. Viele Raucher gehen weniger oder gar nicht mehr aus, so dass die Gastwirte weniger verdienen."

B: „Ist das Argument mit den ausbleibenden Gästen überhaupt nachgewiesen oder vermutest du es nur?"

Argumentationsstrategie?

Beispiel 2:

A: „Ich finde es richtig, dass es ein Rauchverbot in Gaststätten und Diskotheken gibt. Als Nichtraucher habe ich keine Lust, den Rauch vom Nachbartisch abzubekommen."

B: „(Das mag ja sein, aber) als Raucher finde ich es nicht besonders angenehm, zum Rauchen immer nach draußen vor die Tür gehen zu müssen, vor allem im Winter."

Argumentationsstrategie?

Beispiel 3:

A: „Ich finde es richtig, dass es ein Rauchverbot in Gaststätten und Diskotheken gibt. Als Nichtraucher habe ich keine Lust, den Rauch vom Nachbartisch abzubekommen."

B: „(Das mag ja sein, aber) als Raucher finde ich es nicht besonders angenehm, zum Rauchen immer nach draußen vor die Tür gehen zu müssen, vor allem im Winter."
Argumentationsstrategie?

Beispiel 4:

A: „Durch das Rauchverbot in Gaststätten wird das Personal geschützt: die Bedienung in einem Restaurant zum Beispiel. Das gefährdet auf Dauer die Gesundheit."

B: „Wenn ich mich auf eine Stelle als Bedienung in einer Gaststätte bewerbe, ist mir doch klar, dass dort geraucht wird. Also ich finde, dass weiß man vorher. Und wenn ich damit ein Problem habe, mache ich einfach einen anderen Job."

Argumentationsstrategie?

Ist doch alles Ansichtssache? Starke und schwache Argumente in der Politik

M 3 Argumentationsstrategien anwenden

a) Grundstruktur eines Arguments:

Ein vollständiges Argument besteht aus einer oder mehreren Annahmen, einer Schlussregel und einer Schlussfolgerung. Die Schlussregel dient als eine Art Brücke, die den Schluss von der Annahme auf die Schlussfolgerung rechtfertigt. Ein Beispiel:

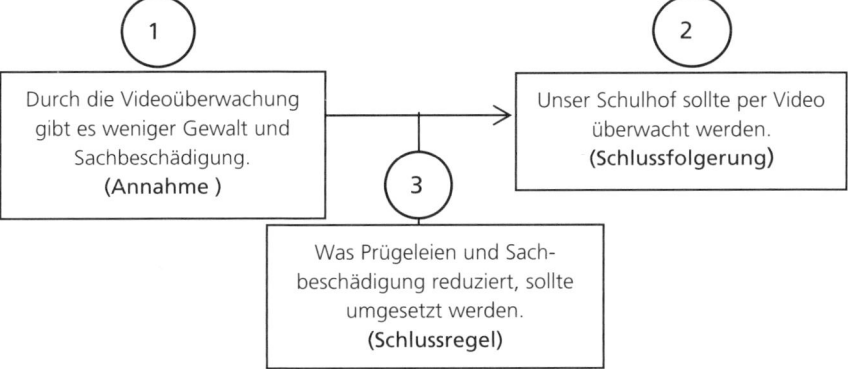

b) Argumentationsstrategien anwenden: In einer Diskussion kannst du…

1 Die Annahme(n) eines Arguments hinterfragen (= Einwand/Kritische Frage):
„Führt Videoüberwachung wirklich zu weniger Gewalt und Sachbeschädigung auf dem Schulhof? Vielleicht verlagert sich beides einfach auf nicht-überwachte Plätze (z.B. die Toiletten)."

2 Die Schlussregel hinterfragen (= Einwand/Kritische Frage):
„Wollen wir wirklich *alles* umsetzen, was Gewalt und Sachbeschädigung reduzieren könnte? Vielleicht haben wir an unserer Schule gar nicht so große Probleme mit Gewalt oder Sachbeschädigung."

3 Die Schlussfolgerung hinterfragen (= Gegenargument):
„(Das mag ja alles richtig sein), aber Videoüberwachung führt zu einem unangenehmen Gefühl der ständigen Überwachung bei den Schüler/-innen und sollte daher trotzdem nicht eingeführt werden."

Quelle des Beispiels (Videoüberwachung): Herrmann, M., Hoppmann, M., Stölzgen, K. & Taraman, J. (2012). Schlüsselkompetenz Argumentation (S. 43). 2. Auflage. Schöningh: UTB.

Aufgaben zu M3

1) Im Folgenden findest du Beispielargumente zum Thema „Sollen Jugendliche schon mit sechzehn Jahren an Bundestagswahlen teilnehmen dürfen?". Unterstreiche die Annahme blau und die Schlussfolgerung rot. Welche Schlussregel „versteckt" sich jeweils hinter den Argumenten?

Beispiel A: „Mit sechzehn Jahren hat man noch keinen Überblick über die verschiedenen Parteien. Darum sollte man erst mit achtzehn Jahren an Wahlen zum Bundestag teilnehmen dürfen."

Schlussregel:

_____

Beispiel B: „Ich finde, man sollte schon mit sechzehn Jahren den Bundestag wählen dürfen. In dem Alter darf man auch schon arbeiten oder heiraten."

Schlussregel:

_____

2) Finde jetzt Schwachstellen in den Beispielargumenten A und B, indem du die Annahme, die Schlussregel und die Schlussfolgerung hinterfragst. Wenn du dir unsicher bist, lies noch einmal bei M2 nach.

Beispiel A:
Einwand/Kritische Frage zur Annahme (blau unterstrichen):

_____

_____

Einwand/Kritische Frage zur Schlussregel:

_____

_____

Gegenargument zur Schlussfolgerung (rot unterstrichen):

_____

Beispiel B:
Einwand/Kritische Frage zur Annahme (blau unterstrichen):

Einwand/Kritische Frage zur Schlussregel:

Gegenargument zur Schlussfolgerung (rot unterstrichen):

M 4a Übungsdiskussion (Partnerarbeit)

Material M4b besteht aus mehreren Pro- und Contra-Argumenten zum Thema **„Soll die Videoüberwachung von öffentlichen Plätzen weiter ausgeweitet werden?"**

Aufgaben:

1) Lies dir in Ruhe die Argumente für beide Seiten durch und überlege dir, wie du die gegnerischen Argumente kritisieren kannst (kritische Fragen/Einwände). Überlege auch, wie du die Argumente deiner Position (Pro oder Contra) gegen Kritik verteidigen kannst.

2) Diskutiert dann zu zweit nach dem folgenden Ablaufschema (siehe unten). Wichtig ist, dass ihr alle Argumentationsstrategien (siehe M3) anwendet.

3) Diskutiert nach der Diskussion, wie stark/schwach ihr die einzelnen Argumente findet. Kreuzt das entsprechende Kästchen in M4b an. Überlegt auch, warum ihr die Argumente jeweils stark oder schwach findet.

Ist doch alles Ansichtssache?
Starke und schwache Argumente in der Politik

M 4a Übungsdiskussion (Partnerarbeit)

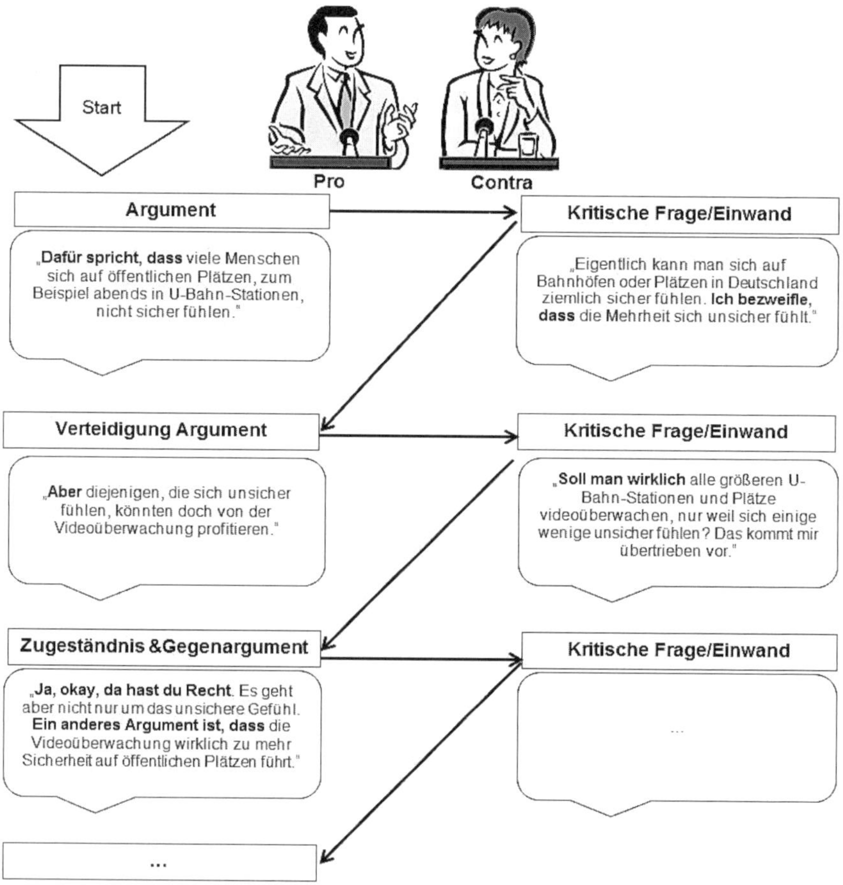

Start

Pro   Contra

Argument	Kritische Frage/Einwand
„**Dafür spricht, dass** viele Menschen sich auf öffentlichen Plätzen, zum Beispiel abends in U-Bahn-Stationen, nicht sicher fühlen."	„Eigentlich kann man sich auf Bahnhöfen oder Plätzen in Deutschland ziemlich sicher fühlen. **Ich bezweifle, dass** die Mehrheit sich unsicher fühlt."
Verteidigung Argument	Kritische Frage/Einwand
„**Aber** diejenigen, die sich unsicher fühlen, könnten doch von der Videoüberwachung profitieren."	„**Soll man wirklich** alle größeren U-Bahn-Stationen und Plätze videoüberwachen, nur weil sich einige wenige unsicher fühlen? Das kommt mir übertrieben vor."
Zugeständnis &Gegenargument	Kritische Frage/Einwand
„**Ja, okay, da hast du Recht.** Es geht aber nicht nur um das unsichere Gefühl. **Ein anderes Argument ist, dass** die Videoüberwachung wirklich zu mehr Sicherheit auf öffentlichen Plätzen führt."	...

...

Ist doch alles Ansichtssache?
Starke und schwache Argumente in der Politik

M 4b Argumente-Sammlung für die Übungsdiskussion

Argument 1 (Pro)

„Nachdem in Karlsruhe die Video-Überwachung am Bahnhof eingeführt wurde, ist die Anzahl der Drogendelikte dort deutlich zurückgegangen. „Es war also ein erfolgreiches Instrument."

☐   oder   ☐

Argument 2 (Pro)

„Wer nichts zu verbergen hat, den braucht die Videoüberwachung doch gar nicht zu beunruhigen."

☐   oder   ☐

Argument 3 (Pro)

„Die Münchner U-Bahn-Attentäter konnten nur mit Hilfe der Videoaufzeichnungen gefasst und verurteilt werden – da muss man den Einsatz dieser Videokameras doch gutheißen."

☐   oder   ☐

Argument 1 (Contra)

„Wenn erst alle öffentlichen Plätze per Video überwacht werden, ist der nächste Schritt die Überwachung am Arbeitsplatz oder von Telefon- und Internetkontakten. Dann gibt es bald überhaupt keine Privatsphäre mehr."

☐   oder   ☐

Argument 2 (Contra)

„Videoüberwachung führt gar nicht zu mehr Sicherheit. Überfälle, Drogendelikte und Schlägereien werden sich einfach an andere, nicht überwachte Orte verlagern."

☐   oder   ☐

Argument 3 (Contra)

„Eine aktuelle Umfrage hat gezeigt, dass die Mehrheit der Deutschen gegen eine Ausweitung der Videoüberwachung auf öffentlichen Plätzen ist."

☐   oder   ☐

Das Erneuerbare-Energien-Gesetz auf dem Prüfstand – Vom politischen Diskurs zur konkreten Unterrichtsidee

Matthias Sowinski und Julia Brüggemann

1. Einleitung

Nachhaltigkeit ist eines der zentralen Themen in unserer heutigen Gesellschaft. Die Relevanz des Themengebiets für Schüler/-innen spiegelt sich sowohl im Lehrplan des Faches Sozialwissenschaften für die Sekundarstufe II in Nordrhein-Westfalen als auch im Konzeptemodell von Weißeno et al. wider (vgl. Ministerium für Schule und Weiterbildung, Wissenschaft und Forschung, 1999, S. 6; Weißeno et al., 2010, S. 12). Als eines von vielen Leitzielen für den sozialwissenschaftlichen Unterricht in der Oberstufe wird das ökonomische und ökologische Effizienz- und Nachhaltigkeitsdenken formuliert (vgl. ebd.). In Bezug auf Nachhaltigkeit spielt in jüngster Zeit das Stichwort *erneuerbare Energien* eine Schlüsselrolle in den Medien. Die Diskussion um steigende Energiepreise in Deutschland löste 2013 eine mediale Aufmerksamkeit auf die Frage, wie die Förderung erneuerbarer Energie weiterhin finanziert werden kann, aus. Das Spannungsverhältnis zwischen Ökologie und Ökonomie scheint in diese Kontroverse im besonderen Maße auf. Politische Akteure seitens der EU- und der Bundesebene sind an diesem öffentlichen Diskurs beteiligt, um letztendlich eine Reformierung des Erneuerbare-Energien-Gesetzes (EEG) anzusteuern. Diese aktuelle Kontroverse bietet viele inhaltliche Anknüpfungspunkte zum Kompetenzaufbau für den sozialwissenschaftlichen Unterricht. Neben dem Fachkonzept Nachhaltigkeit können weitere Fachkonzepte wie Europäische Akteure, Interessengruppen, Konflikt, Macht, Europäische Integration, Regierung, Gemeinwohl und Gerechtigkeit thematisiert werden. Die Unterrichtseinheit *Das Erneuerbare-Energien-Gesetz auf dem Prüfstand – Vom Streit zur angestrebten Reform des EEG* greift ein aktuelles Thema auf, um einen exemplarischen Zugang zum Aufbau politischer Fachkonzepte zu bieten. Die Schulung der politischen Urteilsfähigkeit soll durch einen multiperspektiven Schwerpunkt realisiert werden (vgl. Detjen et al., 2012, S. 49). Im Folgenden wird zuerst eine Sachanalyse mit einem kompakten fachwissenschaftlichen Überblick bzgl. der Thematik gegeben.

2. Sachanalyse

In der Diskussion um erneuerbare Energien spielt vor allem das Spannungsverhältnis zwischen einer bezahlbaren Förderung erneuerbarer Energien und
dem Ziel der Energiewende, eine ressourceneffiziente und umweltfreundliche
Energieproduktion zu erreichen, eine zentrale Rolle. Zusätzlich kommt auf
der EU-Ebene das europäische Binnenmarkt-Projekt ins Spiel, das für eine
Liberalisierung der Strom- und Gasmärkte innerhalb der Europäischen Union
einsteht (vgl. Maubach, 2013, S. 81). Durch diese Liberalisierung soll ein
wettbewerbsfähiger Energiemarkt etabliert werden. Diesem liberalen Leitge-
danken der europäischen Wettbewerbskommission (vgl. European Comission
Competition Sector Energy, 2012) steht der subventionierte Ausbau der erneuerbaren Energien, welcher durch bundespolitische Regulierungsmecha-
nismen wie dem Erneuerbaren-Energien-Gesetz unterstützt wird, gegenüber.
Der Gesetzesauszug aus dem § 1 (1) des EEG konkretisiert das Vorhaben des
Energieausbaus hinsichtlich der erneuerbaren Energien:

„Zweck dieses Gesetzes ist es, insbesondere im Interesse des Klima- und Umweltschutzes
eine nachhaltige Entwicklung der Energieversorgung zu ermöglichen, die volkswirt-
schaftlichen Kosten der Energieversorgung auch durch die Einbeziehung langfristiger ex-
terner Effekte zu verringern, fossile Energieressourcen zu schonen und die Weiterentwicklung von Technologien zur Erzeugung von Strom aus Erneuerbaren Energien zu
fördern" (BMU, 2011, S. 3 f.).

Maubach (2013) bringt die konfligierenden Zielsetzungen auf der EU- und
der Bundesebene auf den Punkt:

„Während sich die Kommission um mehr Wettbewerb und den Binnenmarkt bemüht,
entsteht in Deutschland ein wachsender regulierter Markt für die erneuerbare Erzeugung von elektrischer Energie. Das deutsche EEG macht es möglich. Wettbewerb gibt es
in diesem Markt nicht, denn Preise entstehen nicht aus Angebot und Nachfrage. Sie
werden vielmehr staatlich festgesetzt" (ebd., S. 104).

Ein weiterer Kritikpunkt sind die Kosten für die Privathaushalte, welche
durch die zahlungspflichtigen EEG-Umlagen steigen. Die Informationsplattform der deutschen Übertragungsnetzbetreiber verzeichnet für das Jahr 2014
einen Betrag von 6,240 ct/kWh, wogegen die EEG-Umlage 2010 noch bei
2,047 ct/kWh lag (vgl. Informationsplattform der deutschen Übertragungsnetzbetreiber, 2014). Der Preis der zu zahlenden EEG-Umlage seitens der
Verbraucher/-innen setzt sich aufgrund des auftretenden negativen Saldos der
Netzbetreiber zusammen. Hintergrund dieses negativen Saldos ist die Tatsa-
che, dass die Netzbetreiber bei der Aufnahme der regenerativ erzeugten
Mengen in ihre Netze eine Vergütung der eingespeisten EEG-Mengen auf der
Basis der gesetzlich festgelegten Tarife zahlen müssen. Die erzielten Erlöse
an der Strombörse durch den Verkauf der eingespeisten Menge reichen dabei
nicht aus, um die gesetzlich festgelegte Vergütung pro Kilowattstunde aus

regenerativer Erzeugung auszugleichen bzw. um letztendlich einen Gewinn zu erzielen. Somit entsteht bei den Netzbetreibern ein negatives Saldo, welches durch die EEG-Umlage kompensiert werden soll (vgl. Maubach, 2013, S. 107). Die steigenden Preise der EEG-Umlage lösen jedoch auf langfristige Sicht eine finanzielle Belastung bei den Verbraucher/-innen aus. Als Lösungsansatz wird von Kritiker/-innen, die sich gegen einen verstärkten, differenzierten Ausbau von erneuerbaren Energien im Strombereich aussprechen, eine Förderung der kostengünstigen Technologien vorgezogen (vgl. Hirschl, 2008, S. 195). Der Ausbau von Offshore-Windparks wäre demnach zu reduzieren, wenn man die komplexen Folgekosten der Netzanbindung von Hochseewindparks näher betrachtet. „Die Stromableitungen von Windparks müssen zunächst an aufwändigen Plattformen auf hoher See zusammengeführt werden und von dort über lange, am Meeresgrund verlegte Kabelstrecken mit dem Netz auf dem Festland verbunden werden" (Maubach, 2013, S. 184).

Die Diskussion um die ansteigenden finanziellen Belastungen der Privatverbraucher/-innen wird durch die umstrittene Ausgleichsregelung für stromintensive Unternehmen zugespitzt. Paragraph 40 (1) des Erneuerbare-Energien-Gesetzes weist auf den Grundsatz dieser Sonderregelung für stromintensive Unternehmen hin:

„Das Bundesamt für Wirtschaft und Ausfuhrkontrolle begrenzt auf Antrag für eine Abnahmestelle den Anteil der Strommenge nach § 37, der von Elektrizitätsversorgungsunternehmen an Letztverbraucher, die stromintensive Unternehmen des produzierenden Gewerbes mit hohem Stromverbrauch oder Schienenbahnen sind, weitergegeben wird. Die Begrenzung erfolgt, um die Stromkosten dieser Unternehmen zu senken und so ihre internationale und intermodale Wettbewerbfähigkeit zu erhalten, soweit hierdurch die Ziele des Gesetzes nicht gefährdet werden und die Begrenzung mit den Interessen der Gesamtheit der Stromverbraucher vereinbar ist" (BMU, 2011, S. 19).

Der obige Paragraph wurde aufgrund des Standortnachteils von stromintensiven Unternehmen in Deutschland hinsichtlich der Entwicklung des Strompreisniveaus festgelegt, um eine internationale Wettbewerbsfähigkeit zu ermöglichen (vgl. Maubach, 2013, S. 109). Stromintensive Unternehmen mit einem Verbrauch von über 100 GWh müssen dementsprechend eine verminderte Umlage von 0,05 ct/kWh vergüten. Dies führt wiederum dazu, dass private Haushalte, öffentliche Einrichtungen, Landwirtschaft, Handel und Gewerbe sowie diejenigen industriellen Stromabnehmer, die nicht von der besonderen Ausgleichsregelung profitieren, eine entsprechend höhere EEG-Umlage zahlen müssen (vgl. BMU/BAFA, 2013, S. 2 und 6).

Politische Akteure in der aktuellen Diskussion um das EEG sind vor allem das Bundeswirtschaftsministerium, aktuell besetzt von Sigmar Gabriel (vgl. BMWI, 2014), die europäische Wettbewerbskommission mit dem Kommissar Joaquín Almunia (vgl. ebd.), die EU-Energiekommission besetzt durch Günther Oettinger (vgl. European Commission, 2014), oppositionelle Parteien wie DIE GRÜNEN (vgl. Grünen, 2013) und einzelne Bundesländer,

welche bestimmte Akzentuierungen der EEG-Reform kritisieren (vgl. tagesschau online, 2014). Die einzelnen Standpunkte der Akteure werden im didaktischen Teil durch die Materialauswahl aufgegriffen. Das Bundeswirtschaftsministerium hat ein Eckpunktepapier verfasst, welche die wesentlichen Punkte der geplanten EEG-Reformierung umfasst. Die relevantesten
Reformierungspunkte sind im Materialanhang (M6) stichpunktartig zusammengefasst.

3. Zielsetzung und Vorschlag für eine Unterrichtseinheit

Bevor die Unterrichtseinheit konkret vorgestellt wird, gilt es die Zielsetzung
zu bestimmen. Hierbei werden einzelne Kompetenzziele aus den Kompetenzdimensionen Fachwissen und Urteilskompetenz in Anlehnung an das Politikkompetenzmodell von Detjen et al. (2012) verfolgt. Die Unterrichtseinheit ist für die Sek. II konzipiert worden, vorzugsweise für die 12. Jahrgangsstufe.

1. Fachwissen:
a) Deskriptives Faktenniveau:
  • Die Schüler/-innen können anhand der Thematik unterschiedliche In-
     teressengruppen benennen.
  • Die Schüler/-innen können die Konflikte ausgehend von den unter-
     schiedlichen Interessen der Akteure erschließen.
b) Zusammenhangsniveau:
  • Die Schüler/-innen können am Beispiel der EU-Kommission und des
     Bundeswirtschaftsministeriums die Fachkonzepte Europäische Ak-
     teure und Regierung erläutern und vergleichen.
  • Am Beispiel der EU-Wettbewerbskommission und des Bundeswirt-
     schaftsministeriums können die Schüler/-innen das Fachkonzept
     Macht auf supranationaler Ebene erklären und mit der Macht auf na-
     tionaler Ebene vergleichen.
c) Konzeptniveau:
  • Die Schüler/-innen sind in der Lage, ein nationales Gesetz wie das
     EEG aus einer europäischen Sichtweise im Sinne des Fachkonzeptes
     der Europäischen Integration kritisch zu analysieren und Machtas-
     pekte multiperspektivisch zu reflektieren.
  • Die Schüler/-innen können die Fachkonzepte der Nachhaltigkeit und
     der Gerechtigkeit als politische Werte in ihrer Urteilsbildung anwen-
     den.

2. Urteilskompetenz:

a) Feststellungsurteile:
- Die Schüler/-innen können die Ziele des EEG eigenständig beschreiben.
- Die Schüler/-innen können das Ausmaß der Vergütung von unterschiedlichen Erneuerbaren Energien kategorisieren.
- Die Schüler/-innen können die Legitimierung der Ausnahmeregelung für stromintensive Unternehmen beschreiben.
- Die Schüler/-innen können die Zwischenbilanz des EEG im Jahreswirtschaftsbericht 2013 vom Bundeswirtschaftsministerium zusammenfassend beschreiben.
- Die Schüler/-innen können den Interessenskonflikt zwischen der EU-Kommission und der Bundesregierung darlegen.

b) Erweiterungsurteile:
- Die Schüler/-innen können die Beziehungszusammenhänge zwischen Netzbetreibern, Anlagebetreibern und dem Staat eigenständig prüfen.
- Die Schüler/-innen können die Ziele der EU-Kommission mit den Zielen des Bundeswirtschaftsministeriums vergleichen.
- Die Schüler/-innen können anhand von Statements des Wettbewerbskommissars und des Energiekommissars erschließen, welche Aspekte des EEG aus der Sicht der EU-Ebene fragwürdig erscheinen.

c) Wert- und Entscheidungsurteil:
- Die Schüler/-innen können sich ein Urteil für bzw. gegen die Entlastung von stromintensiven Unternehmen bilden und dieses Urteil mit Argumenten begründen. Dabei können sie die Werte Gerechtigkeit und Nachhaltigkeit heranziehen.

d) Entscheidungsurteil:
- Die Schüler/-innen können sich ein Urteil zu der Frage, ob der Vorschlag zur Reformierung des Erneuerbaren-Energien-Gesetzes von Bundeswirtschaftsminister Sigmar Gabriel umgesetzt werden soll bilden.

Tabellarisch wird im Folgenden die Konzeption der Unterrichtseinheit vorgestellt, dabei bedeutet die Abkürzung L. Lehrerin bzw. Lehrer und SuS Schüler/-innen und Schüler:

Matthias Sowinski und Julia Brüggemann

tunde: Erneuerbare Energien – Eine Einführung in die Thematik

Phase (Zeit)	Unterrichtsschritte plus didaktischer Kommentar	Medien/ Material	Arbeits- und Sozialform
Einstieg (10 Min.)	Erschließung der Thematik anhand von Zitaten politischer Akteure bzgl. der Nachhaltigkeit von erneuerbaren Energien und der Strompreisentwicklung.	OHP-Folie mit Zitaten; Klebestreifen, um die Zitate zunächst anonymisiert zu halten (M1)	Plenum
Erhebung des Vorwissens (15 Min.)	Die SuS erstellen zur Thematik Erneuerbare Energien eine Mind-Map in ihre Hefte.	Schülerhefte	Einzelarbeit
Beurteilung des Vorwissens und weitere Planung (15 Min.)	L. leitet Diskussion: Was wissen wir bereits über das EEG und was müssen wir noch wissen, um uns politische Urteile zu der Frage - Soll das EEG reformiert werden?- bilden zu können? L. sammelt Vorschläge und Fragen der SuS an der Tafel. Als Ausblick präsentiert L. kurz das weitere Unterrichtsvorgehen anhand eines vorbereiteten Posters und gleicht diese mit dem Vorwissen und den Wünschen der SuS ab.	Tafel, Schülerhefte, Orientierungsposter (M2)	Plenum
Hausaufgabe (5 Min.)	Die Hausaufgabe wird erläutert: Sammelt Material zu folgenden erneuerbaren Energieformen und arbeitet die Vorteile und Nachteile a) der Windenergie-Offshore, Windenergie-Onshore, b) Biomasse, c) Photovoltaik, d) Wasserkraft heraus. Erstellt dazu ein Poster in eurer jeweiligen Gruppe, so dass die anderen Gruppen einen Überblick über die wichtigsten Inhaltspunkte sowie Pro-Contra-Argumente erhalten. SuS werden nach Themen in Gruppen eingeteilt.	Tafel	Plenum, Hausaufgabe in arbeitsteiliger Gruppenarbeit

2./3. Stunde: Das EEG als Fördermaßnahme auf der bundespolitischen Ebene

Phase (Zeit)	Unterrichtsschritte plus didaktischer Kommentar	Medien/ Material	Arbeits- und Sozialform
Einstieg und Orientierung (5 Min.)	L. ermöglicht eine kurze thematische Wiederholung mit Hilfe des Orientierungsposters; Roter Faden der Unterrichtsreihe.	M2	Plenum
Posterpräsentation in Form eines Gallery-Walks (20 Min.)	Die SuS gehen durch die Klasse. Vor jedem Poster wird ein 4-minütiger Vortrag von der jeweiligen Gruppe gehalten. Auf dem Orientierungsposter werden offene Fragen festgehalten und/oder festgestellte Zusammenhänge notiert.	Poster	Plenum
Erarbeitungsphase I (20 Min.)	Wie kann die Politik die EE fördern? Arbeitsblatt zum EEG wird von den SuS arbeitsteilig gelesen. Danach stellen die SuS ihren Abschnitt gegenseitig vor.	M3	Einzelarbeit, Partnerarbeit
	L. beantwortet evtl. Verständnisfragen zum Arbeitsblatt.		Plenum
Erarbeitungsphase II (25 Min.)	SuS bearbeiten die Aufgaben.	M3, OHP-Folien, Schülerhefte	Partnerarbeit
Ergebnissicherung (15 Min.)	Freiwillige Partnergruppen stellen ihre OHP-Folien vor. Eigene Aufgabenlösungen werden ergänzt.		Plenum
Hausaufgaben (5 Min.)	SuS sollen einen Auszug aus dem Jahreswirtschaftsbericht 2013 (8 Seiten) lesen und die dazugehörigen Aufgaben bearbeiten.	M4 Aufgabenblatt und Jahreswirtschaftsbericht 2013	Hausaufgabe in EA

4./5. Stunde: Eine bundespolitische Zwischenbilanz zum EEG 2013 und Reaktionen auf EU-Ebene

Phase (Zeit)	Unterrichtsschritte plus didaktischer Kommentar	Medien/ Material	Arbeits- und Sozialform
Einstieg und Orientierung (5 Min.)	L. zeigt den SuS anhand des Orientierungsplakats, wo die Thematik der Stunde einzuordnen ist und was bisher geschah.	M2	Plenum
Besprechung der Hausaufgabe (20 Min.)	Die Bearbeitung der Hausaufgabe wird stichpunktartig durch L. festgehalten. SuS ergänzen ggf. ihre Hausaufgaben. Pro- und Contra-Argumente der SuS werden im Plenum genannt und auf dem Orientierungsplakat festgehalten.	Tafel, Schülerhefte	Plenum
Rückbezug auf die Zitate aus Std. 1 (10 Min.)	L. deckt die Zitate von Almunia und Oettinger auf und verweist auf den nächsten thematischen Punkt des Orientierungsplakats: Die Beurteilung des EEG seitens der EU-Ebene.	M1, M2	Plenum
Erarbeitungsphase I (10 Min.)	L. schreibt Aufgabe an die Tafel: Ordnen Sie die Statements der EU-Politiker hinsichtlich des EEG ein. Was ist fragwürdig aus Sicht der europäischen Kommission? Beziehen Sie sich hierzu auch auf M3 und M4.	Tafel, Schülerhefte, M1, M3, M4	Einzelarbeit
Erarbeitungsphase II (20 Min.)	SuS diskutieren in Gruppenarbeit die Pro- und Contra-Argumente der Bundesregierung und der beiden EU-Politiker. Dabei überlegen Sie gemeinsam, welche Werte hinter den jeweiligen Argumenten stehen und gewichten diese.		Gruppenarbeit
Ergebnissicherung und Diskussion (15 Min.)	L. sammelt anhand einer Tabelle Pro- und Contra-Argumente sowie Werte der Gruppen an der Tafel. SuS ergänzen ihre Bearbeitungen und diskutieren im Plenum, welchen Wert sie wie gewichten würden und begründen dies.	Tafel	Plenum
Hausaufgabe (5 Min.)	Hausaufgabe: Bereiten Sie ein Kurzreferat zu den Aufgaben und Zielen der folgenden Institutionen vor 1. Gruppe: Europäische Kommission. 2. Gruppe: Wettbewerbskommission. 3. Gruppe: Energiekommission. (Selbstrecherche)		Hausaufgabe in arbeitsteiliger Gruppenarbeit

6./7. Stunde: Der Druck seitens der EU und die Reformierung des EEG

Phase (Zeit)	Unterrichtsschritte plus didaktischer Kommentar	Medien/ Material	Arbeits- und Sozialform
Einstieg: Kurzreferate (10 Min.)	Aufgaben und Ziele der Europäischen Kommission, der Wettbewerbskommission, der Energiekommission werden von einem/einer S. pro Gruppe vorgetragen.	OHP, Schülerhefte	Plenum
Erarbeitungsphase I (20 Min.)	SuS werden in Gruppen a drei Personen eingeteilt. Sie bearbeiten in Einzelarbeit einen Zeitschriftartikel mit Hilfe der Placement-Methode arbeitsteilig. Die SuS füllen ihr Placement-Feld zu ihrer jeweiligen Aufgabe 1a), 1b) oder 1c) aus.	M5 (Aufgaben Zeitschriftartikel als Quellen)	Einzelarbeit
Ergebnissicherung (15 Min.)	Die Dreiergruppen tragen ihre Einschätzung zur 2. Aufgabe in die Mitte des Placement-Plakats ein. Im Plenum werden die Ergebnisse der Gruppeneinschätzungen aus der Problemfrage in Aufgabe 2 diskutiert. Innerhalb der Diskussion sollen die SuS ihre Einschätzung zur Durchsetzungsmacht der EU begründen. Es ist zu erwarten, dass die SuS die hohe Durchsetzungsmacht der EU-Kommission problematisieren, was zur Reaktion des BMWI überleitet.		Gruppenarbeit/Plenum
Übergangsphase (5 Min.)	L. deckt das Zitat von Sigmar Gabriel auf und erläutert, dass der Bundeswirtschaftsminister auf die EU-Kritik in Sinne einer gesetzlichen Reform des EEG reagiert hat.	M1, M2	Plenum
Informationsphase (10 Min.)	SuS lesen sich die zusammengefassten Punkte der EEG-Reform von Gabriel durch.	M6 als OHP-Folie	Einzelarbeit
Erarbeitungsphase II und Ergebnissicherung (15 Min.)	Die Aufgaben werden im Plenum bearbeitet. L. trägt die Ergebnisse in der rechten Spalte der OHP-Folie zusammen. Die Ergebnisse dienen als Grundlage für die Vorbereitung der konstruktiven Kontroverse.	M6 als OHP-Folie	Plenum
Vorbereitung für die konstruktive Kontroverse und Hausaufgabe (15 Min.)	Alle Zitate von M1 werden aufgedeckt. Ausgehend von den relevanten Akteuren in M1 und M6 werden die SuS in Gruppen eingeteilt. Die übergeordneten Gruppenakteure sind Unternehmen, Bürger/, Bundesregierung, Opposition & EU-Kommission. Hausaufgabe: Die Rollenkarten werden durch Eigenrecherche der SuS angefertigt. Die Rollenkarten sollen sich an den übergeordneten Großgruppen orientieren. Drei Texte werden den SuS ausgeteilt. Diese dienen zur Vertiefung des Wissens und für die Sammlung von Argumente für die Rollenkarten.	M1, M6, M7	Plenum

8./9. Stunde: Soll der Vorschlag zur Reformierung des Erneuerbaren-Energien-Gesetzes von Bundeswirtschaftsminister Sigmar Gabriel umgesetzt werden?

In dieser letzten Stunde wird eine spezielle Methode angewendet, die mehrere Phasen enthält. Sie ist eine Mischung aus einer konstruktiven Kontroverse und einem Gruppenpuzzle nach einem kooperativen Lernkonzept (vgl. Brüning & Saum, 2007, S. 111ff.). Da die Akteure komplexe Interessen haben und unterschiedliche politische Funktionen erfüllen und die Schüler/-innen dazu viel recherchieren müssen, ist es wichtig, die Schüler/-innen nicht direkt in die konstruktive Kontroverse zu schicken. Die Schüler/-innen sollen die Gelegenheit bekommen sich zunächst auszutauschen. Dies soll insbesondere in der zweiten Phase der Methode geschehen, um ihr jeweiliges Expertenwissen und somit alle wichtigen Informationen des jeweiligen Akteurs zu festigen. Hier bietet sich die Methode des Gruppenpuzzle nach dem Konzept *Think Pair Share* an. Nach der kooperativen Erarbeitungsphase beginnt die konstruktive Kontroverse bzw. strukturierte Kontroverse. Hierbei kommen mehrere divergierende Sichtweisen der Akteure zusammen. Es werden Argumente gegenübergestellt und diskutiert. Diese Methode soll vor allem die Lernenden durch Perspektivwechsel dazu befähigen, zu einem ausgewogenen Urteil zu gelangen (vgl. Brünning & Saum, 2008, S. 22).

Die Problemfrage – *Soll der Vorschlag zur Reformierung des Erneuerbaren-Energien-Gesetzes von Bundeswirtschaftsminister Sigmar Gabriel umgesetzt werden?* – wird aus verschiedenen Perspektiven kontrovers diskutiert. Die Schüler/-innen werden mit der Methode befähigt, einerseits konstruktiv mit Konflikten umzugehen, andererseits sich eigenständig in eine Thematik einzuarbeiten. Für die Debatte um die Reformierung des EEG werden vier große Interessengruppen in den vorherigen Stunden behandelt: 1. Unternehmen (stromintensive Unternehmen, Anlagebetreiber, Netzbetreiber), 2. Bürger/-innen (Verbraucher, Selbsterzeuger), 3. Bundesebene: Regierung, Opposition, Länderpolitiker/-innen, 4. Europäische Union (Energiekommissar bzw. Energiekommission, EU-Wettbewerbskommissar). Die Problemstellung kann somit aus verschiedenen Perspektiven kontrovers beleuchtet werden. In Kleingruppen sollen die Schüler/-innen zu einem konsensualen Entscheidungsurteil im Sinne von Detjen et al. 2012 (vgl. ebd., S. 56 f.) zu der obigen Problemfrage kommen. Die Entscheidungsurteile der Gruppen können je nach Gruppenkonstellation und Rollenschwerpunkten variieren. Abhängig vom jeweiligen Entscheidungsurteil ist beispielsweise, ob die Verbraucherrolle aus der Perspektive des Selbsterzeugers oder aus einer herkömmlichen Verbrauchersichtweise vorbereitet wurde. Ähnliches lässt sich auch exemplarisch für die Unternehmen vermuten. Stromintensive Unternehmen verfolgen meist andere Interessen als Netz- oder Anlagebetreiber. Die Ergebnisse werden im Plenum vorgestellt. Die Schüler/-innen werden durch diese Methode dazu angeregt, mit unterschiedlichen Interessen umzugehen und zu einem konsensualen Entscheidungsurteil zu gelangen sowie den argumentativen Weg im Plenum zu reflektieren.

Abbildung 1:   Die Phasen der Methode konstruktive Kontroverse/ Gruppenpuzzle

1. Phase Individuelle Erarbeitungsphase (Konstruktion), 15 Min.	2. Phase Kooperative Erarbeitungsphase (Ko-Konstruktion), 20 Min.	3. Phase Bildung eines Konsens in Kleingruppen (Instruktion), 30 Min.	4. Phase Diskussion im Plenum zum Konsens Ergebnissicherung, 25 Min.
• Schüler/-innen haben sich als Hausaufgabe auf die verschiedenen Akteure vorbereitet • Schüler/-innen bekommen noch einmal Zeit, ihre Rollenkarten zu bearbeiten • Individuelle Denkzeit	• Schüler/-innen kommen als Expertengruppe zusammen, haben jeweils den gleichen Akteur vorbereitet • Vergleichen ihre Standpunkte/ Stellungnahmen der Akteure, klären individuelle Lücken, korrigieren sich ggf. gegenseitig • Verschriftlichung: Die wichtigsten Argumente werden zusammengefasst	Die Ausgangsgruppe wird gebildet. Drei Schritte sind dazu wichtig 1. Kurzer Input von jedem/r Schüler/-in: Die Argumente der jeweiligen Akteure werden ausgetauscht 2. Schüler/-innen kleben ihre zusammengefassten Argumente auf ein Placement-Plakat 3. Verschriftlichung/ Sicherung findet in der Mitte des Placement- Plakats statt	• Ergebnisse werden vorgestellt • Impulse und Aufgaben werden gegeben und dienen zur Ergebnissicherung • Thematik wird dadurch nochmals vertieft

Quelle in Anlehnung an: Brüning, L. & Saum, T. 2007, S. 112f.

Abbildung 2: Das Placement-Plakat der Schüler/-innen

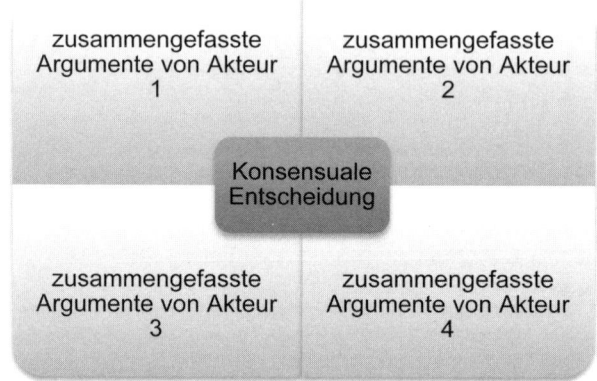

zusammengefasste Argumente von Akteur 1

zusammengefasste Argumente von Akteur 2

Konsensuale Entscheidung

zusammengefasste Argumente von Akteur 3

zusammengefasste Argumente von Akteur 4

Quelle: Eigene Darstellung

Ausblick

Die Unterrichtseinheit bietet darüber hinaus weitere inhaltliche Vertiefungs-punkte, die je nach Interesse der Schüler/-innen und des zeitlichen Umfangs thematisch behandelt werden können. Weiterführende exemplarische The-menvorschläge wie *Uneinigkeit in der Länderpolitik – Ausbau der Erneuer-baren Energien, EEG Reform nach Gabriel – Arbeitsplatzverlust oder Ar-beitsplatzgewinn?* sowie *Erhöhung der Fahrtkosten beim Nah- und Fernver-kehr am Beispiel der Deutschen Bahn* könnten ausgearbeitet werden. Weiterhin bietet es sich an, den Gesetzgebungsprozess im Mehrebenensystem exemplarisch an der Reformierung des EEG im Unterricht zu thematisieren. Hierbei würde man die Fachkonzepte *Legitimation*, *Parlament* und *Rechts-staat*, welche bereits in der Sek. I vermittelt wurden, vertiefend auf supranationaler Ebene behandeln.

Literatur

BMJ [Bundesministerium für Justiz] (Hrsg.) (2011). Gesetz für den Vorrang Erneuer-barer Energien. https://www.clearingstelle-eeg.de/eeg2009 [Letzter Zugriff: 06.05.14]
BMU/ BAFA [Bundesministerium für Umwelt, Naturschutz und Reaktorsicherheit/ Bundesministerium für Wirtschaft und Ausfuhrkontrollen] (Hrsg.) (2013). Hin-

tergrundinformationen zur Besonderen Ausgleichsregelung. Antragsverfahren 2013 auf Begrenzung der EEG-Umlage, (insbesondere S. 2; 6). http://www. bafa.de/bafa/de/energie/besondere_ausgleichsregelung_eeg/ [Letzter Zugriff: 06.05.14]

BMWI [Bundesministerium für Wirtschaft und Energie] (Hrsg.) (2014). Pressestatement von Bundesminister Sigmar Gabriel und dem EU-Wettbewerbskommissar und Vizepräsidenten der EU-Kommission, Joaquín Almunia. http://www.bmwi. de/DE/Presse/reden,did=62 6096.html [Letzter Zugriff: 01.04.14]

Brüning, L./Saum, T. (2007). Erfolgreich unterrichten durch kooperatives Lernen. Strategien zur Schüleraktivierung. Band 1, 3. überarbeitete Auflage. Essen: Neue Deutsche Schule Verlagsges.

Detjen, J. et al. (2012). Politikkompetenz. Ein Modell. Wiesbaden: Springer VS.

Die Grünen (2013). Energiewende. http://www.gruene.de/themen/energiewende/ energie- wende/energiewende.html [Letzter Zugriff: 01.04.2014]

European Commission (Hrsg.) (2014). Günther Oettinger. Mitglied der Eurpäischen Kommission. http://ec.europa.eu/commission_2010-2014/oettinger/index_de.htm [Letzter Zugriff: 01.04.2014]

European Comission Competition Sector Energy (Hrsg.) (2012). Energy and environment. Overview. http://ec.europa.eu/competition/sectors/energy/overview _en.html [Letzter Zugriff: 01.04.14].

Fink, M. (2008). Individuelle und kooperative Lernsituationen gestalten. Beispiele aus Unterrichtsstunden. In: Friedrich-Jahresheft 26, S.46-49.

Informationsplattform der deutschen Übertragungsnetzbetreiber (2014). EEG-Umlage 2014. http://www.netztransparenz.de/de/EEG-Umlage.htm [Letzter Zugriff: 01.04.14].

Johnson, D.W./Johnson, R.T. (1992). Encouraging thinking through constructive controversy. (S. 120 ff.) In: Davidson, N./Worsham, T. (eds.): Enhancing thinking through cooperative Learning.

Hirschl, B. (2008). Erneuerbare Energie-Politik. Eine Multi-Level Policy-Analyse mit Fokus auf dem deutschen Strommarkt. Wiesbaden: Springer VS.

Hollenbach, N. (2008). Stolpersteine im kooperativen Lernen. Schüler und Lehrer berichten über Risiken und Chancen. In: Friedrich. Jahresheft 26, S. 86-88.

Manzel, S. (2013). Die Fachkonzepte Gemeinwohl und Nachhaltigkeit in politischen Fallbeispielen zu „Umwelt" aufdecken. In Manzel, S./Goll, T. (Hrsg.): Politik, Wirtschaft und Sozialkunde unterrichten. Nach didaktischen Prinzipien oder Konzepten oder ganz anders? (Schriften zur Didaktik der Sozialwissenschaften in Theorie und Unterrichtspraxis, Bd.1). (S. 65-82). Leverkusen: Budrich.

Mattes, W. (2012). Methoden für den Unterricht. Kompakte Übersichten für Lehrende und Lernende. Paderborn: Schöning.

Maubach, K.-D. (2013). Energiewende. Wege zu einer bezahlbaren Energieversorgung. Wiesbaden: Springer VS.

Ministerium für Schule und Weiterbildung des Landes Nordrhein-Westfalen (1999). Richtlinien und Lehrpläne für die Sekundarstufe II – Gymnasium/ Gesamtschule in Nordrhein Westfalen. Frechen: Ritterbach.

Tagesschau Online (20.01.2014). Widerstand gegen Gabriels Pläne. http://www. tagesschau.de/inland/windkraft128.html [Letzter Zugriff: 01.04.14]

Weißeno, G. et al. (2010). Konzepte der Politik. Ein Kompetenzmodell. Bonn: Bundeszentrale für politische Bildung.

Material

M 1: Stellungnahmen zum EEG

Z1: „Solange massiv Kohlestrom in die Netze gedrückt wird, besteht die Gefahr, dass nicht mehr in Sonnen- und Windkraftanlagen investiert wird. (...) Ich fürchte (aber), dass die Kohlefreunde aus SPD und Union die Energiewende gemeinsam vor die Wand fahren."

Z2: „Was uns ein bisschen Sorge macht ist natürlich auch die Belastung des Eigenverbrauchs bei privaten Haushalten. Das ist noch nicht endgültig geregelt."

Z3: „Die Abgaben und Steuern müssen überprüft werden, das geht über ineffiziente Produktionsweisen bis hin zu Fehlanreizen im EEG."

Z4: „Klar ist, dass es die Energiewende nicht zum Nulltarif geben kann. Ich kann niemandem sinkende Strompreise versprechen. Aber was wir schaffen müssen ist, die Kostendynamik drastisch zu durchbrechen."

Z5: „Today, some schemes tend to shelter renewables from price signals and lead to market distortions." Übersetzt: „Heutzutage tendieren einige Pläne dazu, erneuerbare Energien vor Preisentwicklungen zu schützen, was zu Wettbewerbsverzerrungen führt."

Zitate von

Z1: Simone Peter, Vorsitzende der Grünen

Z2: Holger Krawinkel, Verbraucherschützer

Z3: Joaquín Almunia, EU-Wettbewerbskommissar

Z4: Sigmar Gabriel, Bundeswirtschaftsminister

Z5: Joaquín Almunia, EU-Wettbewerbskommissar

M 2: Orientierungsplakat

M 3: Das EEG als Fördermaßnahme auf der bundespolitischen Ebene

Aufgaben: Partnerarbeit

1. Fassen Sie das Erneuerbare-Energien-Gesetz im Hinblick auf die Ziele des Gesetzes zusammen.
2. Stellen Sie Beziehungszusammenhänge zwischen Netzbetreibern, Anlagebetreibern und dem Staat visuell/grafisch dar.
3. Erstellen Sie ein Diagramm, dass das Verhältnis der Vergütung der erneuerbaren Energien für 5 Megawatt pro Kilowattstunde darstellt (Hinweis: y= Vergütung/Preis; x= Wasserkraft, Biomasse, Windenergie-Onshore, Windenergie-Offshore, solare Strahlungsenergie).
4. Welche Ausnahmeregelung lässt sich für Unternehmen hinsichtlich der Vergütungszahlung finden und wie werden diese Ausnahmen legitimiert?

Hinweis für Lehrkräfte! Folgende Paragraphen bieten sich zur Bearbeitung an:

Gesetz für den Vorrang Erneuerbarer Energien (Erneuerbare-Energien-Gesetz –EEG Stand:12.04.2011)

§ 1 Zweck des Gesetzes (1), (2)
§ 2 Anwendungsbereich
§ 3 Begriffsbestimmungen
§ 8 Abnahme, Übertragung und Verteilung (1)
§ 9 Erweiterung der Netzkapazität (3)
§ 13 Netzanschluss (1)
§ 16 Vergütungsanspruch (1)
§ 23 Wasserkraft(1)
§ 26 Grubengas (1),(2)
§ 27 Biomasse (1),(2),(3)
§ 29 Windenergie (1)
§ 31 Windenergie Offshore (1)
§ 32 Solare Strahlungsenergie (1)
§ 40 Grundsatz (1)

Quelle: BMU [Bundesministerium für Umwelt, Naturschutz und Reaktorsicherheit] (2011): Gesetz für den Vorrang Erneuerbarer Energien, S. 1-19

M 4: Eine bundespolitische Zwischenbilanz zum EEG 2013

Hausaufgaben:

1. Wie bewertet das Bundeswirtschaftsministerium im Jahreswirtschaftsbericht 2013 die Entwicklung der Erneuerbaren Energien? Welche Aspekte sind gelungen und was muss noch verbessert werden?
2. Wie begründet das Bundeswirtschaftsministerium die Ausnahmeregelung für stromintensive Unternehmen?
3. Wie beurteilen Sie die Argumentation des Bundeswirtschaftsministeriums stromintensive Unternehmen strompreislich zu entlasten? Belegen Sie Ihr Urteil mit weiteren Pro- oder Contra-Argumenten.

Geeignetes Material: Jahreswirtschaftsbericht 2013 (Hrsg.): Bundesministerium für Wirtschaft und Technologie, S. 61-69

M 5: Der Druck seitens der EU-Kommission und die Reformierung des EEG

Aufgaben: Placement

1. Beantworten Sie die Fragen anhand des Textes arbeitsteilig innerhalb Ihrer Dreiergruppe. Hierbei soll sich in jeder Gruppe jeweils **ein/e Schüler/-in mit einer der folgenden Fragen** beschäftigen und die Antwort in sein/ihr jeweiliges Placement-Feld verschriftlichen (Einzelarbeit):

1a. Was bemängelt die EU-Kommission?

1b. Welche Maßnahmen leitet die EU-Kommission ein?

1c. Welche Konsequenzen würden aus der Realisierung der EU-Pläne für Deutschland entstehen?

2. Wie schätzen Sie die Durchsetzungsmacht der EU-Kommission anhand der unterschiedlichen Zeitungsartikel ein? Tragen Sie Einschätzungen in die Mitte des Placement-Plakats zusammen. (Gruppenarbeit)

Geeignetes Material:
Stromschlag aus Brüssel, Der Spiegel, 16.12.13
http://www.spiegel.de/spiegel/print/d-123826465.html (abgerufen am 31.03.14)

Formatvorlage für das Placement:

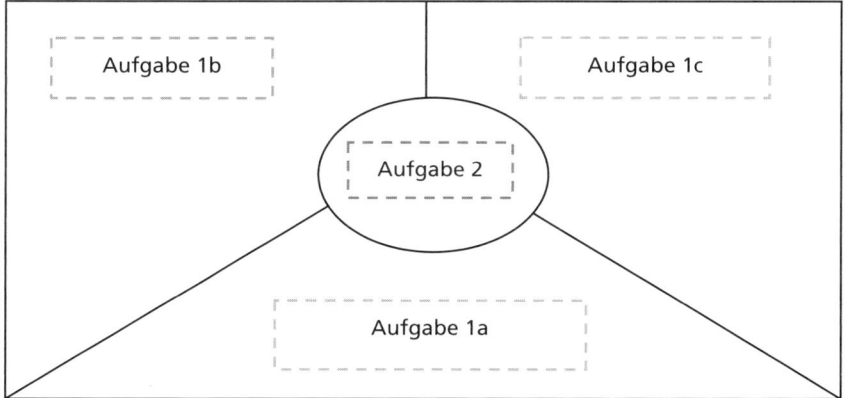

M 6: Zusammengefasste Aspekte der EEG-Reform vom Bundeswirtschaftsminister Sigmar Gabriel

Aufgaben:
1. Benennen Sie, welche Interessengruppen von den jeweiligen Reformierungen besonders betroffen sind.
2. Tragen Sie in die Tabelle ein, ob die jeweiligen Reformierungen einen positiven oder einen negativen Einfluss auf die Akteure haben und begründen Sie Ihre Zuordnung.

Akteure	Positive Effekte	Negative Effekte	Begründung

Zusammengefasste Aspekte der EEG-Reform von Sigmar Gabriel
(a) Die Vergütung der Kilowattstunde Ökostrom soll bis 2015 von 17 Cent auf 12 Cent sinken.
(b) Bisher mussten Eigenstromerzeuger, ob Privatnutzer oder Unternehmen, keine EEG-Umlage zahlen. Zukünftig sollen aber auch diese an der zuzahlenden EEG-Umlage beteiligt sein.
(c) Der Bau von Onshore- Windkraftanlagen orientiert sich an den jährlich angestrebten Zusatz von 2500 Megawatt, der bis 2020 weder dauerhaft unter- noch überschritten werden darf. Der angestrebte Ausbaupfad soll durch das Ausmaß der Vergütung gelenkt werden.
(d) Der Ausbau von Offshore- Windkraftparks in der Nord- und Ostsee orientiert sich an dem Leistungszubau von 6500 Megawatt bis 2020 und 15.000 Megawatt bis 2030. Zwischen 2020 und 2030 sollen zwei neue Offshore-Windparks pro Jahr errichtet werden.
(e) Die Solarenergie soll die jährliche Kapazität von 2500 Megawatt nicht überschreiten.
(f) Die Förderung von Biogas durch Biomasse soll sich auf die Nutzung von Abfall- und Reststoffe einschränken. Aufgrund der hohen Kosten der Biogasaufbereitung werden die Fördersätze für neue Anlagen gekürzt. Der Biogasausbau eines Jahres soll die Grenze von 100 Megawatt nicht überschreiten.
(g) Bezüglich der Forderung der EU-Kommission soll die Besondere Ausgleichsregelung von stromintensiven Unternehmen geprüft werden. Eine zeitnahe Einigung zwischen Bundesregierung und EU wird angestrebt, damit die Unternehmen im dritten Quartal 2014 ihre Anträge für das Jahr 2015 stellen können.

(h) Eine stufenweise Direktvermarktungsregelung soll dazu führen, dass Wind- und Solarparkbetreiber sich stärker an die Marktentwicklung und den Wettbewerb orientieren sollen und die Verkäufer ihres Stroms selber suchen müssen

In Anlehnung an: Eckpunkte für die Reform des EEG (Hrsg.) Bundesministerium für Wirtschaft und Energie, (S. 1-12) 17.01.2014.

M 7: Europaebene: Die Entwicklung der Energiewende und der Energieindustrie aus der Sicht der Europäischen Union

Geeignete Quellen:

Florian Diekmann, Das taugt Gabriels Öko-Plan, Spiegel online, 21.01.2014, http://www.spiegel.de/wirtschaft/soziales/eeg-reform-konzept-analyse-von-gabriels-eckpunktepapier-a-944568.html, (abgerufen am 24.01.2014)

Joachim Wille, Öko-Strom 2.0, FR, 19.01.2014, http://www.fr-online.de/energie/energiewende-und-eeg-umlage-oeko-strom-2-0,1473634,25931784,view,printVersion.html (abgerufen am 30.03.2014)

Sandra Stalinski, EEG 2.0- Was sich künftig ändern soll, tagesschau.de, 21.01.2014, http://www.tagesschau.de/inland/faqoekostrom100.html, (abgerufen am 24.02.2014)

Regieren in Deutschland

Ein praxisorientiertes Planspiel zum Gesetzgebungsprozess und die Rolle von Experten beim Lernen

Julia Staub und Kristina Weissenbach

1. Spielerisch lernen und beim Praktiker nachfragen können

Welche Charakteristika zeichnen den Gesetzgebungsprozess im politischen System Deutschland aus? Wie werden politische Ideen in Gesetze übersetzt? Welchen Herausforderungen müssen sich Politiker/-innen in der Realität dabei stellen?

Der Politik- und Sozialkundeunterricht legt die Grundbausteine zur demokratischen und politischen Bildung von Jugendlichen und liefert erste Antworten auf diese Fragen. Für die Vertiefung dieser Erkenntnisse und das praxisorientierte *Nachfragen bei Expert/-innen* bieten sich Aktionstage der politischen Bildung an Schulen an, die die handlungsorientierte Methode des Planspiels mit dem praxisorientierten Einbezug von Expert/-innen des Themenfelds kombinieren. Die in diesem Beitrag vorgestellte Planspielkonzeption *Regieren in Deutschland* aus dem Qualifizierungsprogramm der NRW School of Governance (Universität Duisburg-Essen) zeigt eine Möglichkeit auf, diesem Anspruch von Vertiefung und Praxisnähe in einer drei- bis vierstündigen Unterrichtseinheit im Rahmen von max. 35 Teilnehmer/-innen gerecht zu werden[1]. Zentral, so die These dieses Beitrags, ist dabei, ein aktuelles Thema aus der Lebenswelt der Schülerinnen und Schüler – hier die „Gesetzesvorlage zur Absenkung des Wahlalters auf 16 Jahre" – in ein Planspiel zu übersetzen und dabei die besondere Rolle eines Experten aus dem entsprechenden Praxisfeld didaktisch zu integrieren. Die dargestellte Unterrichtseinheit ist ein Modul des insgesamt drei Module umfassenden Gesamtprogramms *Politik geht an die Schule*[2] und verfolgt sowohl kognitive als auch affektive Lernziele: Im Rahmen des Planspiels erfahren die Schülerinnen und Schüler den Gesetzgebungsprozess als selbst erlebten Entscheidungsprozess.

---

1   Die Autorinnen danken Niko Switek, Dozent der NRW School of Governance, der seine Erfahrungswerte aus der praktischen Umsetzung des Planspiels eingebracht hat.
2   Die beiden weiteren Module des Programms befassen sich mit den Themen „Parteien und Wahlen" und „Politik und Medien", vgl. http://nrwschool.de/lehre-und-forschung/politische-bildung/.

Sie begreifen, welche Mechanismen, wie beispielsweise die Mehrheitssuche oder der Kompromisszwang, einen Gesetzgebungsprozess begleiten. Sie lernen, wie Individual- und Kollektivinteressen in konkrete politische Entscheidungen umgesetzt werden. Affektiv erarbeiten sich die Teilnehmerinnen und Teilnehmer auf diese Weise kommunikativ-interaktives Handeln und stärken ihre kommunikative Kompetenz sowie das planerisch-strategische Denken und die demokratische Handlungskompetenz durch Artikulieren, Argumentieren und Verhandeln, wie Detjen et al. (2012) in dem Politik-Kompetenzmodell untergliedern.

Nach einer Einordnung des Planspielkonzepts in die Tradition der handlungsorientierten Methode „Planspiel" (vgl. Kapitel 2) zeigen wir im dritten Kapitel des Beitrags überblicksartig den Ablauf des Gesetzgebungsprozesses in Deutschland und stellen die Planspielkonzeption „Regieren in Deutschland" in sechs Phasen vor. Die besondere Rolle des „Experten aus dem Praxisfeld" wird anschließend dargelegt und ein Einblick in die Materialien und Rollenprofile des Planspiels geboten (vgl. Anhang).

2. Planspiele im Politikunterricht

Das Planspiel ist bereits seit Jahrzehnten eine bewährte spielerische und handlungsorientierte Methode: Das Schachspiel als strategisches Brettspiel gilt als die Urform des Planspiels. Erst seit den sechziger Jahren wird die Methode zunehmend auch in der Schule als eine besondere Art der Unterrichtsform angewendet. Der Begriff des Planspieles vereinigt bereits die beiden wesentlichen Merkmale der Methode: Die Vermittlung von Erfahrungswissen am Modell und durch das Spiel (Rappenglück, 2010). Die erste Komponente des Begriffs *Planspiel* spiegelt das Modellhafte im Prozess wider: Ein simulierter Konflikt und die Problemstellung sowie die Regeln des Spiels sind konkret vorgegeben und zielen auf ein bestimmtes Ergebnis ab. Das Wort *Spiel* hingegen verweist auf die große Bedeutung des Spielens für die Weiterentwicklung persönlicher Fähigkeiten in den Bereichen der Kommunikation, des Teamworks, der Kooperation aber auch im Wettbewerb untereinander. Durch die Verbindung von modellhaften Regeln und dem lebendigen Spielcharakter kann die Methode des Planspiels sowohl kognitive als auch affektive Lernziele vereinen. Planspiele als „komplex konstruierte Simulations-, Rollen- und Entscheidungsspiele mit eindeutigen Interessengegensätzen und einem Entscheidungszwang" (Ungerer, 1999, S. 363) ermöglichen die Vermittlung von komplexer Realität und eignen sich daher insbesondere für den politischen Kompetenzaufbau: Fachwissen wird durch reale politische Fälle aufgebaut, komplexe politische Entscheidungsfindungsprozesse werden simulativ erprobt und mentale Konzepte dazu gefestigt. Der hohe

Grad des selbstständigen Lernens, die didaktische Reduktion sowie der handlungsorientierte Ansatz zur Vermittlung von Wissen führen zu einer hohen Akzeptanz unter den Teilnehmenden (Rappenglück, 2010). Das Prinzip der didaktischen Reduktion beinhaltet zudem, dass das Planspiel die Realität zwar so weit wie möglich berücksichtigt, bestimmte Akzente jedoch stärker akzentuiert und zuspitzt. Auf diese Weise kann ein Planspiel Interessen, Prozesse und Strukturen verdeutlichen, ohne die Teilnehmenden oder auch den vorgesehenen Zeitplan zu überfordern. Planspiele werden in völlig unterschiedlichen Kontexten eingesetzt, man unterscheidet zwischen militärischen Planspielen, sozio-ökonomischen Planspielen und kybernetischen Umweltplanspielen.

Abbildung 1: Typen von Planspielen

Quelle: Eigene Darstellung.

Sozio-ökonomische Planspiele finden häufig im Politikunterricht in der Schule statt, hier wird zusätzlich zwischen Planspielen zur Demokratievermittlung in der Kommunal-, Landes- und Bundespolitik, Planspiele zur Europabildung, zur Sicherheitspolitik und zur ökonomisch-politischen Bildung unterschieden (Rappenglück, 2011). Die Methode des Planspiels bietet insbesondere im Politikunterricht die Möglichkeit, komplexe politische Prozesse für die Teilnehmenden handhabbar, begreiflich und tatsächlich „erfahrbar" zu machen. Sie sollen als „Brücke zwischen Alltagswelt und politischen Institutionen" dienen (Deichmann, 2004, S. 66). Das realistische Erfahren von konkret ablaufenden Entscheidungsprozessen erhöht das Verständnis für politische Handlungen. Der lebendige Einblick in politische Entscheidungsprozesse und die bewusste Auseinandersetzung mit dem Rollenverständnis politischer Akteure kann politische Themen für junge Menschen weniger theoretisch, ja sogar weniger uninteressant erscheinen lassen und fördert die Kompetenzdimension Motivation und Einstellungen (vgl. Detjen et al., 2012).

Lernen erfolgt durch die Planspielmethodik ganzheitlich – Planspiele im Politikunterricht können sowohl die kognitiven und prozeduralen Kompetenzen, politisch-strategisches Denken, sozial-kommunikatives Denken sowie Partizipationseinsicht und -fähigkeit der teilnehmenden Schülerinnen und Schüler stärken und für das politische Tagesgeschehen sensibilisieren und interessieren (Vgl. Abbildung 2). Ein Planspiel im Politikunterricht verfolgt sowohl einen handlungs- als auch einen erfahrungsorientierten Ansatz: Die Teilnehmenden treten in die aktive Rolle eines gestaltenden Akteurs. Vor

dem Hintergrund einer politisch fiktiven Ausgangslage übernehmen sie für
die Dauer des Planspiels eine bestimmte Rolle. Auf Basis dieser Rolle handeln sie und verfolgen deren – teilweise vorgegebenen Interessen und Ziele.
Indem die Teilnehmenden tatsächlich in die Haut der Akteure schlüpfen, ver-
innerlichen sie die politischen Problemlagen, erschließen sich neue Perspektiven und entwickeln ein tieferes Verständnis für die ablaufenden Prozesse.
Im Verlauf des Planspiels lernen die Schülerinnen und Schüler die Möglichkeiten von Kooperation und Konflikt kennen – das Spannungsverhältnis zwischen „gemeinsam und gegeneinander" ist in Planspielen stets zentral. Die
Lernenden üben, ihre eigenen Interessen durchzusetzen, zugleich aber die le-
gitimen Interessen anderer Akteure zu berücksichtigen. Für anstehende Fragen und Probleme entwickeln sie innerhalb verschiedener Gremien (zum Beispiel Kabinett, Fraktion, Ausschüsse, Plenum) Entscheidungen.

Abbildung 2: Ganzheitliches Lernen durch die Planspielmethodik

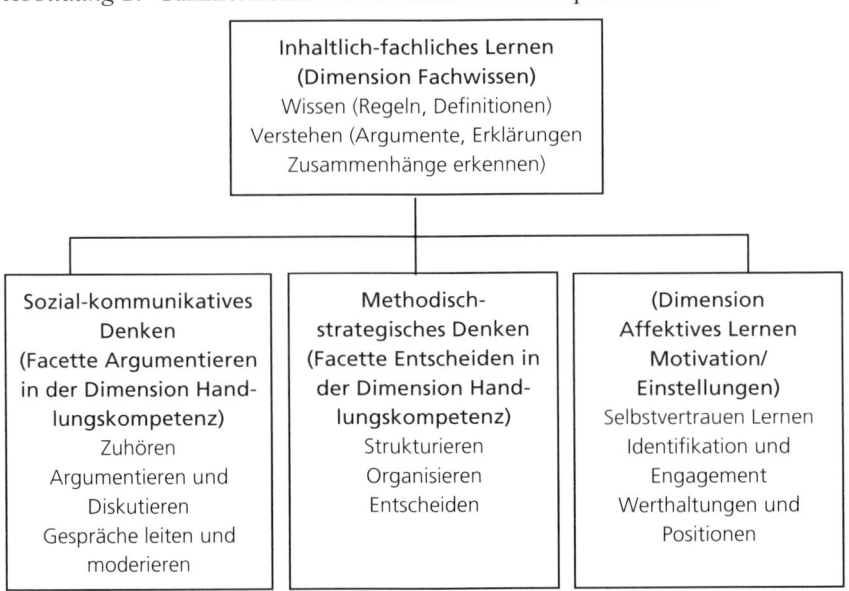

Quelle: um Detjen et al., 2012 erweitertes Modell von Rappenglück, 2011.

3. Regieren in Deutschland – der Gesetzgebungsprozess als Planspiel

Das Planspiel *Regieren in Deutschland* baut auf dem aufgezeigten ganzheitlichen Ansatz auf und betont dabei durch die Integration eines „Experten aus dem Praxisfeld" das partizipative und anwendungsorientierte Lernen.

Die Schülerinnen und Schüler spielen anhand eines *Gesetzentwurfs zur Absenkung des Wahlalters auf 16 Jahre* den Gesetzgebungsprozess im deutschen politischen System nach. Das Thema stellt einen Bezug zur Lebenswelt der Teilnehmenden her und macht spielerisch erfahrbar, wer in Deutschland an der Gesetzgebung beteiligt ist, welche Schritte und Abstimmungsprozesse ein Gesetz konkret durchläuft (vgl. Abbildung 3) und wie die verschiedenen Organe und Akteure miteinander arbeiten. Im Anschluss an das Planspiel werden anhand der gesammelten Erfahrungen der Schülerinnen und Schüler die zentralen Charakteristika der Gesetzgebung in einer parlamentarischen Demokratie gebündelt: Die Gewaltenteilung und -verschränkung, die unterschiedliche Arbeitsweise der verschiedenen Verfassungsorgane und die Rolle der beteiligten Parteien.

Das Planspiel zur Absenkung des Wahlalters auf 16 Jahre verfolgt einen stark realitätsnahen Anspruch. Einerseits wird es die gesamte Zeit der Durchführung von einem Experten aus dem Praxisfeld begleitet und der Prozess im Anschluss mit diesem reflektiert, andererseits durchläuft es alle Phasen des tatsächlichen politischen Gesetzgebungsprozess (vgl. Korte/Fröhlich, 2009): Einbringung, Lesungen, Abstimmung, Bundesratssitzung und Unterzeichnung des Gesetzes.

Der Gesetzentwurf wird im Kabinett von dem/der Familienminister/in eingebracht. Da es sich um eine Grundgesetzänderung handelt, müssen zwei Drittel des Bundesrats zustimmen. Daraufhin wird der Entwurf im Kabinett unter Leitung der/des Kanzler/in besprochen. Nachdem der Entwurf einstimmig verabschiedet wird, geht er an den/die Bundestagspräsidenten/in. Dieser stellt den Entwurf in der 1. Lesung vor und gibt ihn an die Fraktionsvorsitzenden beziehungsweise an die Ausschussvorsitzenden weiter. Nach der Beratung des Gesetzentwurfs finden die Ausschusssitzungen statt – hier ist der Familienausschuss federführend und der Innenausschuss beratend und gibt eine Stellungnahme an den Familienausschuss ab. In der 2. Lesung stellen die Fraktionsvorsitzenden bzw. die Ausschussvorsitzenden unter Leitung der/des Bundestagspräsidenten/in die Positionen zum Entwurf vor. Nach der Abstimmung in der 3. Lesung geht der Entwurf an den Vorsitzenden des Bundesrats. Dieser stellt den Entwurf vor, fragt die Positionen der einzelnen Bundesländer ab und führt eine Abstimmung durch. Erhält der Entwurf eine Zwei-Drittel-Mehrheit geht er erst an den/die Kanzler/in, der/die ihn mit der/dem Familienminister/in gegenzeichnet und dann an den/die Bundespräsidenten/in, der/die ihn prüft und unterzeichnet.

Abbildung 3: Der Gesetzgebungsprozess im Deutschen Bundestag

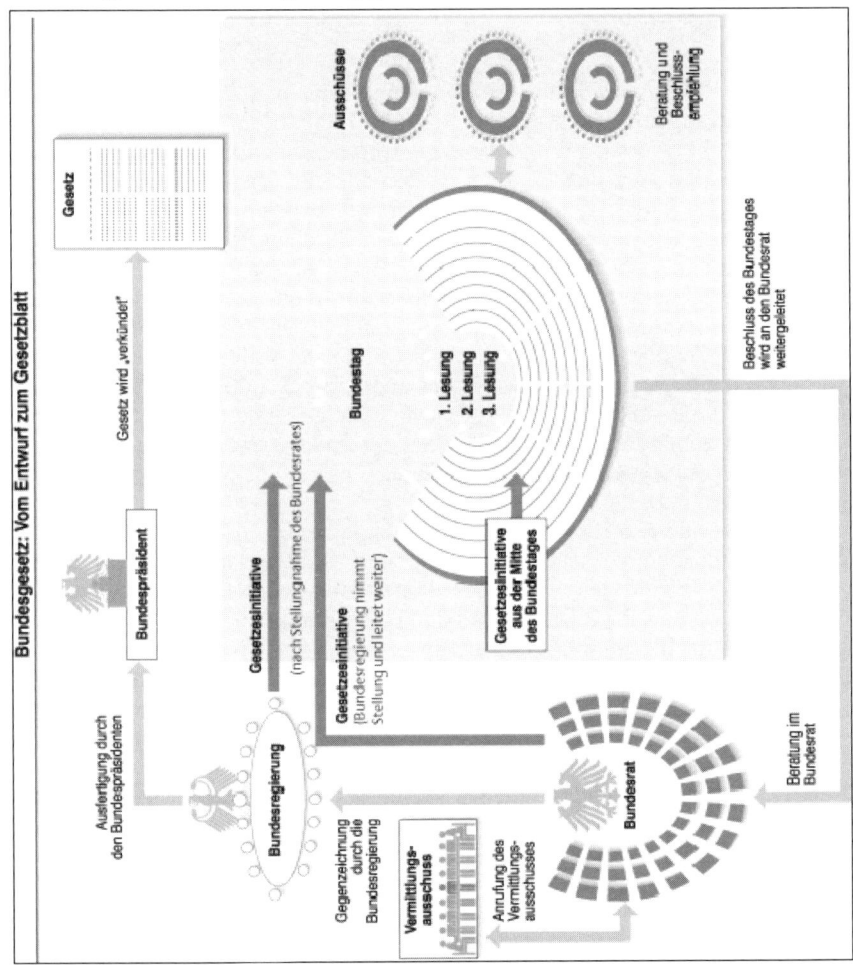

Quelle: www.bundestag.de

Abbildung 4: Schematischer Ablauf des Planspiels

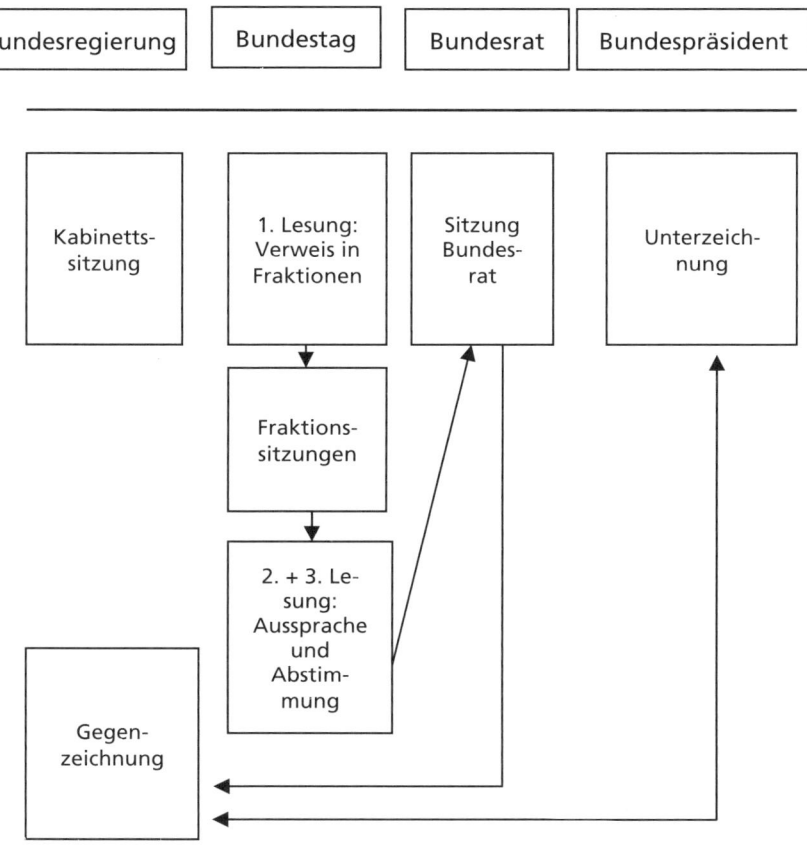

Quelle: Eigene Darstellung.

3.1 Vorbereitungsphase

Einige Tage vor der Unterrichtseinheit wird der Schulklasse von der Politik-
oder Sozialkundelehrkraft zur thematischen Vorbereitung Literatur (z.B. aus
dem jeweiligen Schulbuch oder Material der Bundeszentrale für politische
Bildung) zum Verfahren der Gesetzgebung ausgegeben oder ein eigenständiger Rechercheauftrag (z.B. Internet oder Fachlexika) aufgegeben. Dies soll
als grundlegender inhaltlicher Einstieg in das Planspiel gelten und die Schülerinnen und Schüler bereits mit der Thematik vertraut machen. Am Tage des
Planspiels ist es wichtig, die Teilnehmerinnen und Teilnehmer des Planspiels

darauf hinzuweisen, dass die Rollen unabhängig vom persönlichen Standpunkt zum behandelten Gesetzentwurf gespielt werden sollen. Maßgeblich sind die Angaben auf den Rollenkarten, durch die sie sich in eine fremde Rolle und Position hineinversetzen können (vgl. exemplarische Rollenprofile im Anhang). Nach der Verteilung wird den Schülerinnen und Schülern kurz Zeit gegeben, die Rollenprofile zu lesen und Nachfragen zu einzelnen unklaren Begriffen zu stellen.

Die Tische im Klassenraum sollten so angeordnet sein, dass sich die Mitglieder der einzelnen Organe in der Mitte mit ihren Stühlen zusammensetzen können: Regierung in Kabinettformation, Bundestag und -rat als Plenum mit Vorsitz. Die nicht aktiven Schülerinnen und Schüler sind jeweils Zuschauer.

3.2 Einbringung

In dieser ersten Phase der Simulation des Gesetzgebungsprozesses orientiert sich das Planspiel an der tatsächlichen Realität im Bundestag: In der Praxis kommt der Anstoß für die meisten Gesetze von der Regierung selbst (Bundeszentrale für politische Bildung, 2011). In dem zuständigen Bundesministerium – in diesem Fall dem Familienministerium – erarbeiten Mitarbeiter/-innen auf Anweisung des/der Ministers/in einen Entwurf. Bereits zu diesem Entwurf werden Stellungnahmen von Interessenverbänden eingeholt und sich mit weiteren betroffenen Ministerien abgestimmt. Der fertige Entwurf wird dann vom/von der Minister/in der gesamten Bundesregierung im Kabinett vorgestellt. An diesem Punkt beginnt das Planspiel: Der Gesetzentwurf zur Absenkung des Wahlalters wird durch die Bundesregierung selbst, die im Planspiel aus einer Koalition zwischen der roten und der blauen Partei besteht, von dem/der Familienminister/in der roten Partei eingebracht. Der/Die Familienministerin macht sich Sorgen um geringes politisches Interesse bei Jugendlichen und will mit dem Gesetz mehr Jugendliche für Politik begeistern. Aus ihrem Ministerium gibt es eine Studie zu hoher Beteiligungsbereitschaft bei Jugendlichen, was ihren Wunsch nach einer Absenkung des Wahlalters inhaltlich stützt. Der/Die Kanzler/in bittet den/die Familienminister/in, den Gesetzentwurf vorzustellen und die anderen Minister/-innen nehmen dazu Stellung. Nach der Beratung im Kabinett wird der Gesetzentwurf einstimmig beschlossen und dem/der Bundespräsident/in übermittelt.

3.3 Lesungen und Ausschusssitzungen

In der 1. Lesung wird der Gesetzentwurf von dem/der Bundespräsident/in kurz vorgestellt, der/die Fraktionsvorsitzende/r der roten Partei trägt den Entwurf daraufhin vor dem gesamten Plenum vor. Nach der Vorstellung des

Gesetzentwurfs wird er zur genaueren Prüfung und Bearbeitung an den zuständigen Ausschuss geleitet – der Familienausschuss ist hierbei federführend und der Innenausschuss beratend, er gibt eine Stellungnahme an den Familienausschuss ab. In diesen beiden Ausschusssitzungen wird der Gesetzesentwurf erneut beraten. In der 2. Lesung stellen die Fraktionsvorsitzenden bzw. die Ausschussvorsitzenden unter Leitung der/des Bundestagspräsidenten/in die Positionen und Ergebnisse zum Entwurf vor, die gemeinsam in den Ausschusssitzungen mit den jeweiligen Mitgliedern erarbeitet wurden. Die Abstimmung über den Gesetzentwurf findet in der 3. Lesung statt. Nach der Abstimmung geht der Entwurf dann an den Vorsitzenden des Bundesrats. Diese Phase des Planspiels zeigt nicht nur den schematischen Ablauf eines Gesetzgebungsprozesses in den drei Beratungen, den sogenannten Lesungen auf, sondern sensibilisiert die Schülerinnen und Schüler dafür, dass sich ein Großteil der parlamentarischen Arbeit in den einzelnen Ausschüssen abspielt, die auf Beschluss des Bundestages für die Dauer der gesamten Wahlperiode gebildet werden. In den Ausschüssen konzentrieren sich die Abgeordneten auf ein konkretes Teilgebiet der Politik – auf eine bestimmte *Policy*. Sie beraten alle dazugehörigen Gesetze vor der Beschlussfassung und versuchen, bereits im Anschluss einen mehrheitsfähigen Kompromiss zu finden (Bundestag, 2014).

3.4 Bundesratssitzung

Da es sich um eine Grundgesetzänderung handelt, muss der Bundesrat mit einer zwei Drittel Mehrheit zustimmen – im Planspielkonzept ist dieses Ziel mit 18 von insgesamt 27 Stimmen erreicht. Durch den Bundesrat wirken die Länder bei der Gesetzgebung des Bundes mit. Eine Grundgesetzänderung ist als zustimmungspflichtiges Gesetz von der Zustimmung des Bundesrates abhängig, um in Kraft treten zu können. Der Bundesratsvorsitzende stellt den Entwurf vor, fragt die Positionen der einzelnen Bundesländer ab und führt eine Abstimmung durch. Erhält der Entwurf eine Zwei-Drittel-Mehrheit, geht der Gesetzentwurf wieder zurück zur Unterzeichnung an den/die Kanzler/in und den/die Bundespräsident/in. Diese Phase des Planspiels zeigen die Verflechtungen und die gegenseitige Kontrolle zur Machtbegrenzung der einzelnen Verfassungsorgane auf. Die Gewaltenverschränkung zwischen Bundestag und Bundesrat sorgt für „ein Korrektiv gegenüber einem Übermaß einer zentralen Macht" (Bundeszentrale für politische Bildung, 2009). Der Bundesrat verfügt über ein bedeutendes Mitspracherecht im Gesetzgebungsprozess und fungiert in dieser Position als eine Kontrollinstanz gegenüber Bundesregierung und Bundestag – ebenso soll er die Interessen der Länder innerhalb der Exekutive vertreten.

3.5 Unterzeichnung

Damit das Gesetz in Kraft treten kann, müssen sowohl der/die Kanzler/in, der/die jeweilige Minister/in – in diesem Fall der/die Familienminister/in – die Vorlage unterzeichnen. Nach einer Überprüfung des Gesetzesentwurfs durch den/die Bundespräsidenten/in und seiner positiven Zustimmung, muss auch er das Gesetz unterschreiben und im Bundesgesetzblatt veröffentlichen.

3.5 Expertendiskussion: Reflektion des Prozesses und Zusammenführung der Ergebnisse

Laufen die Abstimmungsprozesse im Rahmen der Gesetzgebung in der Realität ähnlich ab wie im durchgespielten Planspiel? Welche informellen Praktiken sind zusätzlich zu den erlernten formalen Prozessen im Laufe der Gesetzgebung zu beobachten? Wie läuft das eigentlich in der Praxis ab und was macht ein/e Abgeordnete/r ansonsten den ganzen Tag?

Für solche Fragen der Schülerinnen und Schüler und das Nachfragen bei Expert/-innen bleibt im Schulalltag meist keine Zeit. An diesem Punkt setzt die Phase der *Expertendiskussion* am Ende des Durchspielens des Gesetzgebungsprozesses an: gemeinsam mit einer/m Abgeordneten des Land- oder Bundestages bzw. einer/m der Mitarbeiter/-innen tragen die Schülerinnen und Schüler die Ergebnisse des Planspiels zusammen, reflektieren den Prozess der Entscheidungsfindung in ihrer Rolle und diskutieren den Realitätsfall. Dabei tritt der Experte aus dem Praxisfeld nicht erst zu diesem Zeitpunkt auf die Bildfläche. Vielmehr ist es Anspruch des Moduls *Regieren in Deutschland*, dass er oder sie von Beginn der Unterrichtseinheit Teil des Planspiels ist, die Schülerinnen und Schüler betreut oder ein nicht besetztes Rollenprofil selbst spielt. Durch diese Integration von Beginn an ist die nötige Vertrauensbasis für das direkte Nachfragen durch die Schülerinnen und Schüler gegeben und der im Spiel didaktisch reduzierte Gesetzgebungsprozess kann den Erfahrungen aus der tatsächlichen parlamentarischen Praxis gegenübergestellt werden.

Die Ergebnisse aus dem Planspiel und der Expertendiskussion werden abschließend durch die Lehrkraft zusammengefasst sowie die Arbeitsweise der beteiligten politischen Organe und die zentralen Charakteristika des Gesetzgebungsprozesses in einer parlamentarischen Demokratie gebündelt.

4. „Ich verstehe Politik jetzt etwas besser"

„Ich verstehe Politik jetzt etwas besser", „Es war interessant von der Arbeit eines Abgeordneten Etwas zu erfahren", „Ich fand es nicht einfach, meine Position durchzubringen".

Diese Auswahl an Rückmeldungen der Schülerinnen und Schüler im Rahmen von Feedbackrunden und Evaluierungen des Moduls *Regieren in Deutschland* zeigt, dass das zugrunde gelegte ganzheitliche Vermittlungskonzept – die Verbindung eines Planspiels mit der Integration eines Experten aus der Praxis – bei vielen der Teilnehmenden das Interesse für sonst ferne politische Abläufe weckt und ihnen den Prozess der Gesetzgebung spielerisch und praxisnah vermittelt. Durch diesen anwendungsorientierten Ansatz gelingt es, dass die Schülerinnen und Schüler den komplexen Planungs-, Verhandlungs- und Entscheidungsprozess der Gesetzgebung tatsächlich nachvollziehen. Sie treten zudem nicht nur selbst in die aktive Rolle eines gestaltenden Akteurs, sondern haben einen solchen Akteur beim Spielen dabei und können auftretende Fragen unmittelbar besprechen und mit dem Praxisfall konfrontieren. Zentrale Mechanismen des Regierens in Deutschland werden den Schülerinnen und Schülern dadurch näher gebracht, folgende kognitive Ziele erreicht und politisches Fachwissen aufgebaut:

- Die Schülerinnen und Schüler erlernen, dass die Minister/-innen einzelne Zuständigkeitsbereiche haben (Ressortprinzip) und dass Entscheidungen im Kabinett unter Anleitung des/der Kanzler/in getroffen werden (Richtlinienkompetenz, Kabinettsprinzip).
- Sie verstehen, dass die Zusammenarbeit in einer Koalition es teilweise notwendig macht, auch bei abweichenden Meinungen den Vorgaben des/der Kanzler/in zu folgen (Koalitionsdisziplin).
- Die Schülerinnen und Schüler wissen, dass sich die Arbeit im Bundestag in Ausschüssen abspielt, dass die Abgeordneten in einem Spannungsverhältnis zwischen Sach- und Parteipolitik stehen und dass die Fraktionen in der Regel geschlossen abstimmen.
- Sie kennen die Beteiligung der Länder am Gesetzgebungsprozess über den Bundesrat und die Sonderrolle des Bundespräsidenten als Kontrolleur des Verfahrens mit rechtlichen statt politischen Kompetenzen.
- Insgesamt wissen sie um die Ausgestaltung des Gesetzgebungsprozesses: Die Gewaltenteilung und -verschränkung beugt Machtmissbrauch vor und bezieht wichtige Akteure und Interessen in das Verfahren mit ein. Die Parteiendemokratie schafft eine Verbindung zwischen den Organen und sorgt für Regierungsstabilität durch die Koalitions- und Fraktionsdisziplin. Die Opposition führt die Kontrollfunktion aus.

Affektiv erwerben sich die Teilnehmerinnen und Teilnehmer durch kommunikativ-interaktives Handeln einerseits kommunikative Fähigkeiten, plane-
risch-strategisches Denken und Methodenkompetenz, andererseits gewinnen
sie politische Handlungskompetenz in den Dimensionen Argumentieren,
Verhandeln und Entscheiden. Gleichzeitig wird die Motivation und politische
Einstellung bei Schüler/-innen für reale Politik gefördert.

Literatur

Bundestag (2014): Ständige Ausschüsse. http://www.bundestag.de/bundestag/
	ausschuesse18/ [Zugriff: 12.03.2014].
Bundeszentrale für politische Bildung (2009): Gewaltenverschränkung.
	http://www.bpb.de/politik/grundfragen/24-deutschland/40460/gewaltenver-
	schraenkung [Zugriff: 12.03.2014].
Bundeszentrale für politische Bildung (2011): Die Gesetzgebung.
	http://www.bpb.de/nachschlagen/lexika/pocket-politik/16426/gesetzgebung [Zu-
	griff: 12.03.2014].
Deichmann, C. (2004). Lehrbuch Politikdidaktik. München: Oldenbourg Verlag.
Detjen, J./Massing, P./Richter, D./Weißeno, G. (2012). Politikkompetenz – ein Mo-
	dell. Wiesbaden: Springer.
Korte, K. R./Fröhlich, M. (2009). Politik und Regieren in Deutschland, 3. Aufl., Pa-
	derborn: UTB Schöningh.
Rappenglück, S. (2010). Planspiele – Zielsetzung und Methodik. In: Bundeszentrale
	für politische Bildung (Hrsg): Planspiele – Methoden für den Unterricht.
	http://www.bpb.de/lernen/unterrichten/planspiele/70260/zielsetzung-und-
	methodik [Zugriff: 12.03.2014].
Rappenglück, S. (2011). Planspiele im Politikunterricht, LPM Saarbrücken.
	www.lpm.uni-sb.de/typo3/.../allg.../Planspiele_im_Politikunterricht.ppt [Zugriff:
	14.03.2014].
Reinhardt, S. (2005). Politikdidaktik. Berlin: Cornelsen.
Ungerer, L. (1999). Planspiel. In: Mickel, W. (Hrsg.): Handbuch zur politischen Bil-
	dung. (S. 363) Bonn: Bundeszentrale für politische Bildung.

Anhang: Materialien Ausgewählte Rollenprofile

Die Bundesregierung Bundeskanzler/in (Parteivorsitzende Rote Partei)	Sie machen sich Sorgen um geringes politisches Interesse bei Jugendlichen Sie wollen mit dem Gesetz mehr Jugendliche für Politik begeistern ab 16 treffen Menschen Entscheidungen über Ausbildung und Beruf und sie sollten daher auch wählen können aus Ihrem Ministerium gibt es eine Studie zu hoher Beteiligungsbereitschaft bei Jugendlichen Kabinettssitzung: Sie bitten den/die Familienminister/in, den Gesetzentwurf vorzustellen Sie fragen die anderen Minister/innen nach ihren Meinungen Sie stellen Ihre eigene Meinung vor: Sie wünschen sich, dass die Regierung geschlossen hinter dem Entwurf steht und bitten alle Minister/innen um Zustimmung Sie lassen abstimmen Nach der Sitzung des Bundesrats: Sie nehmen den Entwurf aus dem Bundesrat entgegen Sie und der/die Familienminister/in zeichnen den Entwurf gegen Sie geben den Entwurf an den/die Bundespräsidenten/in weiter
Die Bundesregierung **Bundesinnenminister/in** **(Parteivorsitzender Blaue Partei)**	Sie sehen diese Frage konservativ; Ihrer Meinung nach sollten nur „Erwachsene" wählen dürfen unter 18 hat man noch keine Reife für eine verantwortliche Wahlentscheidung außerdem gilt überall in Europa und auf der Welt ein Wahlalter von 18 Jahren [*wenn der Kanzler Sie um Ihre Zustimmung bittet, stimmen Sie dem Gesetzentwurf aber zu*]
Deutscher Bundestag Fraktionsvorsitzende/r (Gelbe Fraktion) (Parteivorsitzende/r Gelbe Partei)	Sie fragen die Abgeordneten Ihrer Fraktion nach ihrer Meinung [*Sie notieren sich die Meinungen, Argumente*] als Opposition sind Sie besonders kritisch gegenüber der Regierung, Sie empfehlen eine Ablehnung Sie halten eine Abstimmung ab

	[*wenn der Bundestagspräsident Sie auffordert, stellen Sie die Meinungen, Argumente sowie das Abstimmungsergebnis Ihrer Fraktion vor*]
Bundesrat Ministerpräsident/in Saarland (Rote Partei) (3 Stimmen)	Sie sind für eine Absenkung des Wahlalters Sie sind im Saarland in einer Koalition mit der Gelben Partei, die nicht zustimmen möchte in Ihrem Koalitionsvertrag, den sie im Saarland mit der Gelben Partei geschlossen haben, steht, dass Sie sich bei Uneinigkeit im Bundesrat enthalten Sie enthalten sich
BUNDESPRÄSIDENT **Bundespräsident/in** **(Blaue Partei)**	Sie prüfen den Gesetzentwurf Ist das Gesetzgebungsverfahren so verlaufen wie es vorgeschrieben ist? Verstößt der Gesetzentwurf gegen die Verfassung? Wenn Sie die erste Frage mit ja und die zweite mit nein beantwortet haben, unterschreiben Sie den Entwurf Der Entwurf wird nun im Bundesgesetzblatt veröffentlicht

Autorinnen und Autoren

Brüggemann, Julia, Studentin Lehramt Sozialwissenschaften, Universität Duisburg-Essen

Gronostay, Dorothee, wiss. MA, Institut für Politikwissenschaft/Didaktik der Sozialwissenschaften, Universität Duisburg-Essen

Manzel, Sabine, Prof. Dr., Institut für Politikwissenschaft/Didaktik der Sozialwissenschaften, Universität Duisburg-Essen

Neumann, Dennis, Akad. Rat, Institut für Politikwissenschaft/Didaktik der Sozialwissenschaften, Universität Duisburg-Essen

Oberle, Monika, Prof. Dr., Politikwissenschaft/Didaktik der Politik an der Georg-August-Universität Göttingen

Sowinski, Matthias, wiss. MA, Institut für Politikwissenschaft/Didaktik der Sozialwissenschaften, Universität Duisburg-Essen

Staub, Julia, Master-Studentin Politikwissenschaft, Institut für Politikwissenschaft, Universität Duisburg-Essen

Tatje, Christian, wiss. MA, Politikwissenschaft/Didaktik der Politik an der Georg-August-Universität Göttingen

Weissenbach, Kristina, Dr. des., Institut für Politikwissenschaft, Forschungsgruppe Regieren der NRW School of Governance, Universität Duisburg-Essen

Weißeno, Georg, Prof. Dr., Politikwissenschaft und ihre Didaktik, Pädagogische Hochschule Karlsruhe